Erich-Norbert Detroy

Wie man mit Brief, Telefon und Erstbesuch **neue Kunden systematisch** und dauerhaft gewinnt

Erich-Norbert Detroy

Wie man mit Brief, Telefon und Erstbesuch neue Kunden systematisch und dauerhaft gewinnt

4. Auflage

verlag moderne industrie

CIP-Titelaufnahme der Deutschen Bibliothek

Detroy, Erich-Norbert:
Wie man mit Brief, Telefon und Erstbesuch neue Kunden systematisch und dauerhaft gewinnt / Erich-Norbert Detroy. – 4. Aufl. – Landsberg am Lech : Verl. Moderne Industrie, 1988
ISBN 3-478-23514-6

1. Auflage 1982
2. Auflage 1984
3. Auflage 1986
4. Auflage 1988

Schutzumschlag: Roman Gruber
Druck und Bindearbeiten: Hofmann-Druck KG, Augsburg
Printed in Germany 230514/5881501
ISBN 3-478-23514-6

Inhaltsverzeichnis

Vorwort

Wie schwer muß wohl das Verkaufen sein? Das war mein Hauptproblem, als ich selbst in den Verkäuferberuf hineinstieg.

Und ich war überrascht! Es war nicht die Redebeflissenheit, die man guten Verkäufern so gerne nachsagt, die ich zu erwerben hatte. Sehr schnell spürte ich, daß es eigentlich drei Dinge sind, die das Verkaufen erfolgreich machen:

1. Fleiß!
2. Organisation und Systematik!
3. Verkaufstechnik!

Wir wissen heute, daß es oft genügt, allein bienenhaft fleißig und ehrlich zu sein, um langfristig ein guter Verkäufer zu sein. Doch um wieviel besser muß der gleiche sein, wenn er es versteht, seine Arbeit zu organisieren?

Wenn dann noch als dritte Komponente eine überzeugende und kreative Verkaufstechnik dazukommt, können wir unsere Erfolge besser erkennen, analysieren und (das Wichtigste!) besser steuern. Dazu soll dieses Buch beitragen.

Es soll eine Hilfe geben für die kreative Seite der *Neukundengewinnung* durch den Verkäufer selbst. Es soll die Neukundengewinnung erleichtern, soll sie zu etwas werden lassen, was sehr viel Spaß macht.

Denn Spaß und Freude am Beruf zu haben heißt, daß das Gespräch mit dem Kunden voller Begeisterung läuft. Und unsere Begeisterung kann der Kunde spüren, ja er erwartet sie sogar. Denn nichts ist ihm widerlicher als ein gelangweilter Verkäufer mit wenig Engagement.

Haben wir erst beides, Spaß und Begeisterung, finden wir leicht unsere eigene *positive innere Einstellung* zu Produkt, Kunde, Beruf und Aufgabe. Denn ohne das richtige innere Verhältnis dazu können wir auf Dauer kaum einen so anspruchsvollen Beruf, wie den des Verkäufers, erfüllen.

Vielleicht kennen Sie schon die beiden anderen Bücher* von mir:

»Sich durchsetzen in Preisgesprächen und Preisverhandlungen«
»Abschlußtechniken beherrschen und gekonnt einsetzen«

Diese beiden fachlichen Bestseller sind die Ergänzung zu dem Ihnen vorliegenden Werk. Eigentlich sind alle drei Bücher von Anfang an als »Serie« für gesteigerte Verkaufserfolge geschrieben. Aus der Praxis – für die Praxis. Wenn Sie also noch ungeklärte Fragen haben, die einerseits das Thema »Preise« oder andererseits das Thema »Abschlußtechnik« betreffen, dann gehören die oben erwähnten Bücher in Ihre Hand. Arbeiten Sie beide genauso intensiv durch.

Sicherlich wäre dieses Buch nicht so praxisnah geworden, wären nicht so viele Seminarteilnehmer bereit gewesen, ihre positiven Beispiele beizutragen. Besten Dank.

Dank aber auch meinem Partner Siegfried Vögele, der als führender Direktwerbeberater mich insbesonders für den Teil der Neukundenwerbung per Brief inspirierte. Und natürlich ist dieses Buch auch ein Ergebnis des ständigen Erfahrungsaustausches mit meinen Partnern in den verschiedenen Ländern Europas.

Dieses Fachbuch soll dem gestandenen wie auch dem jungen Verkäufer ideenreich helfen, bei der Akquisition von Neukunden noch erfolgreicher zu sein.

Und wenn Sie darüber hinaus noch eine Frage haben, schreiben Sie mir oder rufen Sie an. Es ist unsere berufliche Aufgabe Verkaufsprobleme zu lösen, Verkaufskollegen zum Erfolg zu verhelfen.

Viel Erfolg auch Ihnen
Ihr

Erich-Norbert Detroy
DETROY CONSULTANTS INTERNATIONAL
Beilstein/Heilbronn

* Erschienen im verlag moderne industrie, Landsberg.

1. Der Neukunde

1.1 Welche Bedeutung hat ein Neukunde für unser Unternehmen?

Wir leben von Kunden,
und die Kunden leben von uns!

Die Ursache, daß ein Kunde gerade bei uns kauft, ist wohl darin zu sehen, daß er sich von unserer Zusammenarbeit mehr verspricht als von einer anderen.

Doch überall wo es eine Zusammenarbeit gibt, könnte und wird es oft ein Ende geben. Seit Jahren treue Kunden wandern zum Konkurrenten. Die Gründe sind vielschichtig. Dieser verständliche und natürliche Kundenschwund muß ausgeglichen werden. Selbst ein Unternehmen, das schon Jahrzehnte existiert, benötigt deswegen ständig neue Kunden, um Umsatzverluste zu kompensieren.

Ohne neue Kunden, die anfänglich nur wenig kaufen mögen, mit der Zeit aber für größere Umsätze interessant werden, wäre ein Wachstum wohl kaum denkbar. Und unser Unternehmen braucht Wachstum, sonst wird es wohl bald am Markt verschwunden sein. Alle Kunden zusammen machen aber erst eine Weiterentwicklung unseres Angebotes möglich.

Rund ein Drittel aller Unternehmen Deutschlands verändert jährlich seine Angebotspalette wesentlich. Damit benötigen sie Produkte anderer Art von teilweise neuen Lieferanten. Kennen wir alle Wege, um in unserem Gebiet solche Umstrukturierungen rechtzeitig zu erfahren?

Und dann gibt es noch jedes Jahr tausende von neu gegründeten Firmen, die bei der Suche nach Lieferanten oft im Dunkeln tappen. Helfen wir ihnen dabei, uns zu finden!

Der Verkäufer, der nur Stammkunden bearbeitet, arbeitet rückwärts... sofern nicht zufällige Umsatzexplosionen ihm zu einem Glorienschein verhelfen. Betrachten wir doch mal die bekannte Lorenzsche Umsatz-Verteilungskurve* aus der Sicht unserer Zielsetzung »Neue Kunden gewinnen«.

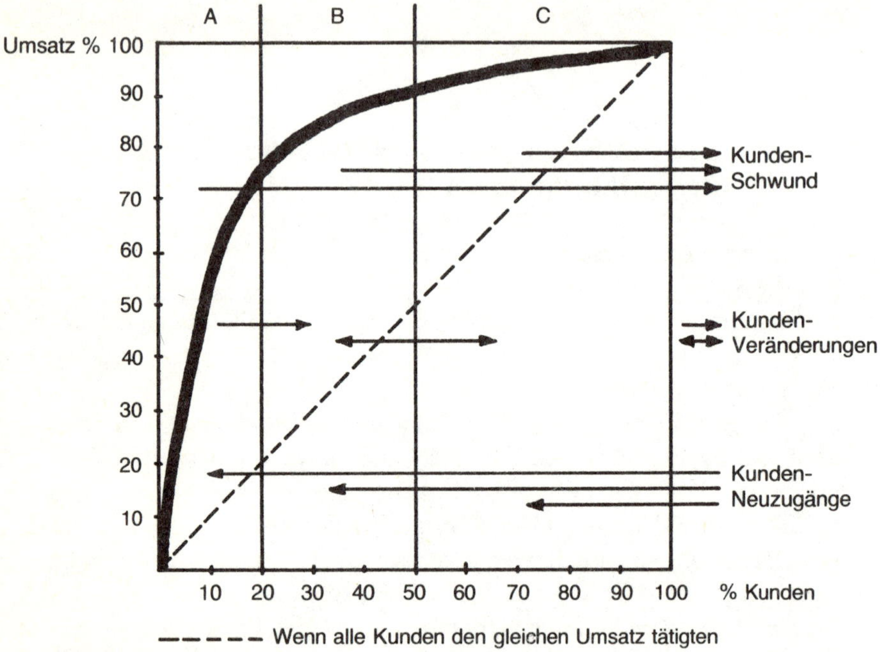

Wir wissen, daß 70–80 % unseres gesamten Umsatzes von nur 20 % unserer Kunden getätigt werden. Ein sehr geringer Umsatzanteil wird jedoch von fast 50 % aller Kunden verwirklicht. Nun gibt es in dieser Aufstellung laufend Verschiebungen. A-Kunden springen ab, B-Kunden werden zu A- oder C-Kunden werden zu B-Kunden. Deswegen ist nicht nur eine umsatzgerechte, sondern auch potentialgerechte Bearbeitung notwendig.

Die abgesprungenen Kunden gilt es nun durch neue zu ersetzen. Dafür ist die systematische Ausschöpfung des gesamten Marktpotentials notwendig. Es sollte in regelmäßigen Abständen konsequent nach

* Lorenz, 1905, aus seiner Darstellung der Einkommenskurve abgeleitet

neuen Absatzchancen geforscht werden. Dabei stellen sich eigentlich zwei Fragen:

1. Kennen wir unsere zusätzlichen Chancen im Gebiet wirklich?
2. Haben wir auch zeitlich das richtige Gleichgewicht bei der Bearbeitung von Stammkunden und potentiellen Neukunden gesetzt?

Zusammenfassend betrachtet wird eine ständige Neukunden-Gewinnung erforderlich durch:

1. Notwendiges Wachstum des eigenen Unternehmens
2. Die Kompensation abgesprungener Kunden
3. Umstrukturierungen bei kaufenden Kunden
4. Umstrukturierungen bei seither unbekannten Nicht-Kunden
5. Neugründungen von Unternehmen
6. Eigene neue Produkte für neue Märkte
7. Sattheit bestehender Kunden

Es drängt sich jetzt natürlich die Frage auf, wann ein Neukunde wirklich ein Kunde geworden ist. Schon beim ersten Kauf? Nein, sicherlich nicht. Wir müssen aus ihm erst einen zufriedenen Wiederholungs-Kunden machen. Und weil gerade am Anfang viele Pannen passieren, benötigt unser neu gewonnener Kunde weiterhin die Betreuung der Person, die ihn gewonnen hat, denn zu ihr hat er Vertrauen.

Aus folgender Grafik läßt sich analytisch ableiten, welche Bedeutung der weiteren Bearbeitung des Erstling-Käufers beizumessen ist.

Die Umsätze entwickeln sich am Anfang zögernd und langsam steigend. Mit gewonnenem, Vertrauen durch Leistung und Service steigen die Umsätze progressiv, erreichen in der Endphase des Gesamtbedarfes des Kunden ihren Höhepunkt. Und, die Umsätze können sogar wieder sinken. Über-Verkauf oder Wettbewerbsangebote können verantwortlich sein.

Bedingt durch die verstärkten Bemühungen am Anfang, eine hohe Besuchsanzahl und viele Besuche ohne Auftrag, ist ein zum erstenmal kaufender Kunde meist nicht gewinnbringend. Jetzt gilt es durch die richtige Kontaktfrequenz den Kunden zum Stammkunden zu machen, der immer mehr kauft und zusammen mit einer kostengünstigen Bearbeitung dann auch Gewinne ermöglicht.

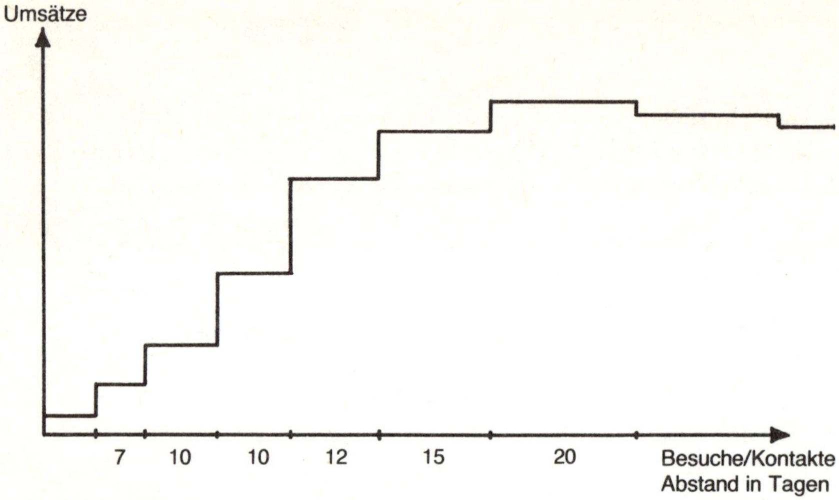

Erkenntnisse:

1. Ein neu gewonnener Kunde muß weiter betreut werden.
2. Er muß von dem betreut werden, der ihn gewonnen hat.
3. Anfangs-Umsätze sind lediglich Indikatoren für zukünftig noch interessantere Umsätze.
4. Der Besuchsabstand muß am Anfang kürzer sein, er wird mit der Zeit länger.

Wo steckt nun das eigentliche Problem?

Einen potentiellen Neukunden zu besuchen, erfordert von vielen Kollegen eine große Überwindung, so daß Sie lieber einen bekannten Altkunden besuchen. Ihn kennen sie, vor ihm haben sie keine Scheu. Doch bei dem erst zu werbenden Kunden kennt man nichts oder nur wenig.

Die Angst vor dem Ungewissen erzeugt schwitzende Hände bei der Vorstellung, daß man vielleicht sogar noch abgewiesen werden könnte. Der Puls schlägt schneller, das Herz pumpt mehr Blut durch die Adern und das Hirn verengt diese noch*. Ergebnis: Man findet im entscheidenden Moment nicht die richtigen Worte. Also läßt man es gleich bleiben.

Nein!

* Phänomen des negativen Streß (Di-Streß)!

Wir wissen heute, daß das ständige Werben neuer Kunden sehr viel Spaß und Freude bereiten kann! Sofern man darauf vorbereitet ist.

Und dabei soll dieses Buch helfen!

1.2 Möglichkeiten der Neukunden-Gewinnung

Warum suchen Einkäufer neue Lieferanten? Nun, Antworten gibt es viele. Entweder benötigen Sie plötzlich völlig neue Produkte, oder ein bestehender Lieferant wird unzuverlässig, erhöht seine Preise in unakzeptabler Weise, oder der Einkäufer bekommt ein neues Sachgebiet, auf dem er noch keine Beschaffungserfahrungen hat.

Wie dem auch sei. Er wird sich über Belieferungsmöglichkeiten informieren müssen. Dazu verfügt er über eine ganze Reihe von Hilfsmitteln, wie beispielsweise das Branchenfernsprechbuch (Gelbe Seiten), ABC des Einkaufs, Informationen über die Industrie-, Handels- und Handwerkskammern. Sein Problem dabei wird darin liegen, daß er zwar eine Auflistung über die möglichen Lieferanten enthält, nicht immer aber gleich auch eine Aussage über deren individuelle Leistungsfähigkeit.

Und genau hier setzt dieses Buch an. Wir müssen dem potentiellen Kunden dreierlei sagen:

1. Daß es uns als Lieferanten gibt,
2. daß er nur uns als Lieferanten akzeptiert, von unserer Leistungsfähigkeit also überzeugt ist,
3. daß er sich an uns als Lieferanten dann auch beim aktuellen Bedarfsfall erinnert.

Natürlich ist es schwierig, gerade zu dem Zeitpunkt den Kunden ansprechen zu können, wenn der Bedarf auftritt, andererseits ist es in vielen Fällen dann auch zu spät. *Effiziente Neukundengewinnung beginnt eigentlich bei der Analyse der potentiellen (Absatzmöglichkeiten und der Erforschung des Kaufverhaltens der potentiellen) Kunden. Die klare Gegenüberstellung der Vor- und Nachteile verschiedener Werbemethoden, die jetzt notwendig ist, fehlt meistens.* Oft wird ein Instrument benutzt, weil man es als einziges kennt oder glaubt, nur dieses hätte Erfolg. Aber erst durch eine Analyse der Werbechancen, der Zusammenhänge zwischen Bedarf, Bedarfszeitpunkt und

Kaufverhalten wird es möglich, eine erfolgreiche Strategie für die Gewinnung neuer Kunden zu planen.

Die *Schritte* einer professionellen Neukunden-Gewinnungskampagne sind an und für sich klar:

a) *Zielsetzung* – verkäuferische/unternehmerische
b) *Analyse potentieller Absatzmöglichkeiten*
   - Branchen, Kundengruppen
   - regionale Chancen
   - Bedarfsmomente und Kaufverhalten
c) *Analyse der Werbemethoden*
   - Werbemittel-Gegenüberstellung
   - Kosten-Nutzen-Analysen
   - Administrative Möglichkeiten
d) *Strategie-Entwicklung*
   - Auswahl der Werbemethoden
   - Ausarbeitung der Konzeption
e) *Start*
   - Fleiß, Organisation
   - Kontrolle

Richten wir jetzt unser Augenmerk auf die Kurzanalyse der verschiedenen Werbemethoden. Wie man diese dann im Falle des Einsatzes professionell für hohe Effizienz gestaltet, besprechen wir in den folgenden Kapiteln.

Welche *praxiserprobte Werbemethoden* haben wir im allgemeinen zur Verfügung?

1. Werbung per Brief
2. Werbung per Telefon
3. Werbung per Besuch
4. Werbung auf der Messe / »Tag der offenen Tür«
5. Werbung durch Empfehlung zufriedener Kunden
6. Werbung per Anzeigen
7. Werbung durch überregionale Medien wie Funk, Fernsehen, Kino, Plakate.

Dieses Buch geht intensiv auf die Möglichkeiten ein, die der »Mann an der Front« hat, also die Methoden 1 bis 5, und oberflächlich auf die Arbeit, die eigentlich von Werbeagenturen geleistet wird. Zielsetzung des Buches ist ja, dem *Verkäufer* zu helfen.

1. Werbung per Brief

Es handelt sich hier nur um ein scheinbar günstiges Werbemittel, der Brief ist teurer als wir gemeinhin annehmen. Wissen wir doch, daß ein individuell diktierter Brief leicht über 100 Mark kosten kann (Diktierzeit, Schreibzeit, Korrekturzeit, Porto etc.). Natürlich können wir auch Massenkonfektion daraus machen, also ein und denselben Brief gleich an viele Adressen schicken, wodurch die Kosten je Brief wesentlich gesenkt werden. Doch je mehr »Masse« wir versenden, desto geringer wird die Erfolgschance.

Der Brief hat das gesprochene Wort zu ersetzen, und wenn wir an Neukunden-Gewinnung denken, soll er beim Kunden eine Reaktion auslösen, damit wir mit ihm in einen Dialog, ein Zweier-Gespräch kommen.

Den Erfolg an einer Aussendung von Briefen mißt man an der Reaktion der Angesprochenen, die sich in Form von Rück-Antwortkarten, Rück-Telefonaten oder gar spontanen Bestellungen äußert. Man spricht hier vom Rücklauf, der durch die Rücklauf-Quote gemessen wird. Je nach Auswahl der Adressen, der Gestaltung der Briefe, der Zielgruppe und der Verbindlichkeit des Angebotes sind diese natürlich unterschiedlich hoch. So kann man nicht generell sagen, daß eine Quote von 3 % sehr gut, mittelmäßig oder schlecht ist. Es kommt eben auf viele Faktoren an. Die Rücklauf-Quote der eigenen Aktionen zu kennen ist jedoch wichtig, um sie bei jeder weiteren Aktion gezielt zu verbessern.

Dabei hilft uns Kapitel 2, in dem die Erfahrungen vieler Experten und der Praxis gesammelt sind.

2. Werbung per Telefon

»Nein, ich fahre lieber gleich hin. Bei einer telefonischen Anmeldung könnte ich ja nur abgewimmelt werden. Bin ich erst beim Interessenten, kann der mich aus Höflichkeitsgründen nicht mehr abweisen«, meint mancher Kollege. Ist das die richtige Taktik?

Das Terminvereinbarungsgespräch am Telefon zu beherrschen, ist eine der am leichtesten zu trainierenden Fähigkeiten, die ein guter Verkäufer braucht. Und wenn er dann noch abgewimmelt wird, kann dies nur zu seinem Vorteil sein. Er erspart sich nämlich einen überflüssigen Besuch.

Wenn wir vorher bei der Briefwerbung festgestellt haben, daß diese meist zu preisgünstig eingestuft wird, müssen wir bei der Telefonwerbung sagen, daß diese meist als zu teuer bezeichnet wird. In vielen Firmen sind die Telefonkosten ein heikles Thema. Deswegen wird entweder gar nicht angerufen oder gleich hingefahren.

Ein Besuch durch einen Verkäufer kostet zwischen 70 und 150 Mark – während ein 5minütiges Telefongespräch von Hamburg nach München an Gebühren lediglich bescheidene 5 Mark 75 kostet. Wenn man jetzt noch Gehalt und Umlagen des Anrufenden dazunimmt, kommen wir sicherlich nicht über 10 DM.

Dem Telefongespräch als Kontaktmittel gehört die Zukunft!

Wir müssen es nur beherrschen. Es gibt Verkäufer, von denen man scherzhafterweise sagt, daß sie noch keinen ihrer Kunden gesehen hätten. Sie würden alles per Telefon erledigen.

Dem Kapitel 3 schenken wir deswegen viel Engagement, denn wer heute die Chancen durch das Telefon erkennt und frühzeitig ausnutzt, hat mehr Erfolgsaussichten.

3. Werbung per Besuch

Die Urform der Kundenwerbung, der Besuch, wird seine Bedeutung behalten. Weil die Kosten dafür unaufhaltsam steigen, schneller als die Lebenshaltungskosten, ist eine kritische Überprüfung unserer seitherigen Methoden allerdings ratsam.

Noch immer erleben wir, daß es in manchen Firmen Bezeichnungen wie »Kontaktgespräch«, »Routinebesuch«, »Höflichkeitsbesuch« und ähnliche gibt. Die Zeiten des unverbindlichen Hereinschauens sind vorbei – gezwungenermaßen.

Die Vorteile des Besuches, wobei man den Kunden sehen kann und die Möglichkeit einer sofortigen Reaktion des Kunden hat, müssen wir in Zukunft noch nutzbringender verwerten.

Wir wissen heute, daß es den »geborenen« Verkäufer nur noch im Märchen gibt. Sich selbst verkaufen, und damit fängt es ja immer an, ist eine Kunst, die jedermann lernen kann. Andere Menschen für *sich* zu gewinnen, zu beeinflussen, dies darf man nicht mehr dem Zufall oder dem unsichtbaren »Draht« überlassen. »Man hat's oder man hat's eben nicht!« heißt die Schutzbehauptung unsicherer Kollegen.

Die Zeit beim Kundengespräch richtig einteilen, zum geeignetsten Zeitpunkt die Höhepunkte der Informationen bringen, den Kunden beeindrucken, Vertrauen gewinnen, die Motive des Kunden richtig erkennen und ansprechen ... das sind einige der vielen Aufgaben. Deren Beherrschung kann dann viel Spaß machen, wie ein Spiel. Und arbeiten soll ein schönes Spiel sein, das allen Beteiligten gefällt.

Im Kapitel 4 diskutieren wir darüber.

4. Werbung per Messe / »Tag der offenen Tür«

Nirgendwo haben wir so viele Möglichkeiten mit potentiellen Interessenten Kontakt aufzunehmen, wie auf der Messe. Und dann vergibt man sich viele Chancen, indem zeitaufwendigst einzelne Kunden beraten werden, während Interessenten uns nicht stören wollen und deswegen vielleicht zum Wettbewerbsstand wandern.

Eine Messe ist auf den Tag gerechnet sehr teuer. Nutzen wir deswegen den Tag, um den hohen Preis je Kontakt auf ein Minimum zu drücken. Auf der Messe, sofern es keine echte Verkaufs-Messe ist, geht es darum, in kürzester Zeit möglichst viele Interessenten kennenzulernen, die Adressen und Wünsche zu notieren, kurz und eindrucksvoll ein Produkt vorzustellen und dann eine Besuchsvereinbarung anzustreben.

So haben wir dann gleich nach der Messe viele offene Türen, der Kunde bringt uns nicht mehr den Kontaktwiderstand entgegen, den er zum Beispiel bei einer telefonischen Kontaktaufnahme hat.

5. Werbung durch Empfehlungen zufriedener Kunden

Ein Kunde, der uns auf eine Empfehlung hin anruft, freut uns besonders. Haben wir doch nachweislich gute Arbeit geleistet, die uns ein zufriedener Kunde durch seinen Tip honoriert. Schade, daß heute nur wenige Verkäufer gezielt solche Empfehlungen beeinflussen. Im

Versicherungswesen ist so etwas schon längst üblich, ja mancher Vertreter hat so überhaupt erst begonnen.

Wie man so etwas professionell macht besprechen wir in Kapitel 5.

6. Werbung per Anzeigen

Weil dieses Buch für Verkäufer geschrieben wurde und wir uns jetzt in die Materie der Werbeagenturen und Werbeabteilungen begeben, fassen wir uns hier kurz.

Anzeigen sollen den Kauf-Anreiz schaffen, sie sind der Auslöser dafür, daß sich jemand mit uns und unserem Produkt befaßt.

Deswegen werden gute Anzeigen meist das *ästhetische Empfinden* des Beobachters ansprechen:

- Harmonie im Bild
- Sauberkeit der Linien
- Wahl der Farben

Diese schweigende, oft nur unterschwellig wirkende Aussage wird mit einem *Aufmerksamkeitserreger* (eye catcher) gekoppelt:

- Frau, auf Bananenschale ausrutschend
- Vollblutpferde neben Ackermaschinen
- nacktes Mädchen mit Photoapparat in der Hand

Dieser Aufmerksamkeitserreger hat assoziative Wirkung auf das eigentliche Produkt. Wobei Bild und Text aber versuchen, an den *Besitzwunsch, den Nachahmungstrieb oder an das Geltungsbedürfnis* zu appellieren:

- Ein Schloß an der Loire besitzt man nicht, um ein Zuhause zu haben
- Pilotenkoffer
- Zählen Sie zu den wenigen, die ...

Eine *Aufforderung* darf natürlich nicht fehlen:

- Machen Sie den Frische-Test
- Schneiden Sie den Coupon aus
- Schicken Sie die eingeklebte Postkarte heute noch ab

Wichtig für uns als Verkäufer ist, unsere Werbung zu kennen und parallel dazu unsere Argumentation aufzubauen. Der Kunde benötigt

Analyse der individuellen Möglichkeiten der Neukunden-Gewinnung

Methode	Vorteile	Nachteile	Zu beachten!
Brief/ Direktwerbung	In Massen preisgünstig bequem – nur warten ohne Reisezeiten	hoher Streuverlust Massenaussendungen kaum nacharbeitbar verzögerte Reaktion hohe Wegwerfquote	Wenn, dann Qualität vor Quantität Werbung immer mehrstufig aufbauen Argumentketten aufbauen
Telefon	preisgünstig, je Kontakt direkte Reaktion des Kunden möglich, viele Kontakte pro Tag	keine optische Dimension Telefonklingeln bedeutet Störfaktor	Raumatmosphäre überträgt sich optimale Telefontechnik der Anlage klaren, verständlichen Gesprächsstil roten Faden fürs Gespräch parat haben
Besuch	direkteste Beeinflussungsmöglichkeit visueller Kontakt längste Beeinflussung	hohe Kosten je Kontakt Schwerfälligkeit wenig Kontakte pro Tag	Psychologische Gesetze beherrschen Kunden-Ego in Mittelpunkt des Gesprächs Gespräch muß „dramaturgisch" überlegt und konzipiert sein (Höhepunkte)
Messe	viele Kontakte möglich Interessegrad der Besucher groß Vertrauen bei Nachbearbeitung vorhanden	Messe-Streß Über-Information der Besucher Umweltbelästigung	Klares Gesprächskonzept Gespräch auf Kurz-Info steuern mit anschließender Terminvereinbarung
Empfehlungen	preiswertestes Medium Vertrauens-Vorschuß große Erfolgschancen geringe Anbahnungsverluste	Nachahmungseffekt nicht immer steuerbar	Nicht nur abwarten, sondern gezielt um Weiterempfehlung bitten

zwischen dem ersten Bemerken der Werbeaussage ein wiederkehrendes Erlebnis, das ihn daran erinnert. Weil alles was man zwei- und mehrmals gesehen hat, länger haften bleibt. Deswegen, wenn sich der Kunde auf Grund einer Anzeige gemeldet hat, bringen wir die Anzeige mit, zeigen wir diese dem Kunden. Eine Vertrauensübertragung auf uns ist dann leicht möglich.

7. Werbung durch überregionale Medien wie Funk, Fernsehen, Kino, Plakate

Auch hier wollen wir kurz dazu Stellung nehmen, so weit es für uns im Verkauf notwendig ist.

Immer wieder wird auch hier die Chance vergeben, durch eine Parallel-Aussage »Werbung – Verkäufer« zu einem erwünschten Wiederholungs- und damit Erinnerungseffekt zu kommen.

Machen wir die Werbeaussage zu unserer eigenen! Auch wenn uns das manchmal schwerfällt, denn die Werber können nicht alle Verkäufer vorher fragen.

Nur durch dauernde immer wiederkehrende Werbung läßt sich ein Kunde langsam überzeugen. Deswegen muß die optische Werbeaussage, also der Prospekt, die Bilder im Fernsehen, Mini-Bilder der Plakate mit zu unserem Handwerkszeug gehören. Und noch viel besser wird es, wenn wir sogar im Verkaufsgespräch gelegentlich wortwörtlich Werbeslogans aussprechen.

Natürlich muß dies harmonisch wirken – nicht auswendig gelernt.

So hat der Kunde einen harmonischen Eindruck, die einheitliche Ausstrahlung unserer Firma wird ihn überzeugen.

1.3 Strategie der Neukunden-Gewinnung

Es entspricht durchaus unserem Verkäufer-Naturell, daß wir kurz entschlossen akquirieren. Voller Dynamik, Tatkraft und Initiative streben wir dem gewünschten Erfolg entgegen. Doch gelegentlich erleben wir, daß wir gehandelt haben, bevor wir genügend nachgedacht, geplant und organisiert haben. Das Ergebnis ist dann oft unnötige Arbeit, die nicht zielführend genug war. Diese Erlebnisse haben wir deswegen oft, weil wir etwas extrovertierter als der Durchschnittsmensch veranlagt sind.

Und als Extrovertierte sind wir nach außen gerichtet, kontaktfreudig, Energiegeladen, umgänglich, spontan und herzlich. Mit einigen positiven Eigenschaften des introvertierten, also nach innen gerichteten Menschen, stehen wir auf Kriegsfuß. Dies wäre vor allem das systematisch-planerische Arbeiten, das zweifelsohne beim Akquirieren eine Sekundär-Reaktion (verzögerte Reaktion) mit sich bringt.

Doch diese verzögerte Reaktion brauchen wir dringend. Denn schnell haben wir einige Telefonate geführt oder gar schon Besuche gemacht und stellen später erst fest, daß wir nicht genügend vorbereitet waren. Deswegen sollte immer dann, wenn wir eine Neukunden-Werbung planen, ein Schild auf unserem Schreibtisch stehen mit dem Titel:

Erst denken – dann handeln!

Die Ausarbeitung einer Strategie, die Planung der Vorgehensweise, ist das A und O der Neukunden-Werbung. Wir müssen überlegen, wieviel potentielle Interessenten wir überhaupt ansprechen müssen, um einen Neukunden zu gewinnen. Daraus ergibt sich aus der Erfahrung im Umkehrschluß: Weil wir X Neukunden gewinnen wollen, müssen wir Y potentielle Interessenten ansprechen.

Damit gewinnen wir unsere *Zielsetzung*, die für Höchstleistungen wirklich unerläßlich ist. Denn ohne Ziel können wir unsere Kräfte nicht konzentrieren und verplempern diese unnötig. Wer ohne Ziel vor sich hin arbeitet, muß sich vergleichen mit dem Schiff, das vollbeladen den Hamburger Hafen verläßt, aber nicht weiß wohin. Erst ein Ziel macht uns effizient. Und wie wollen wir ein Erfolgserlebnis haben, wenn wir nicht wissen, was wir erreicht haben?

Also *Ziele* setzen:
- Wie viele Neukunden will ich gewinnen?
- Wie viele potentielle Kunden muß ich ansprechen?
- In welcher Zeit will ich die Neukunden gewonnen haben?
- Welchen Umsatz sollen diese ...
- in welcher Zeit bringen?

Jetzt, nachdem wir unsere Ziele festgelegt haben, können wir die *Strategie*, unsere *Vorgehensweise* planen.

Wollen wir per Brief die Interessenten ansprechen? Oder rufen wir gleich an? Oder besuchen wir die Kunden gar »kalt«, also für sie unvorbereitet? Oder benötigen wir daraus eine Kombination?

Verdeutlichen wir uns jetzt den *Trichter-Effekt.* In einen Trichter können wir oben schnell viel reinschütten, unten kommt alles nur langsam aber stetig heraus. Ähnlich müssen wir uns eine Neukunden-Gewinnungs-Kampagne vorstellen.

(1) Wir müssen am Anfang in kurzer Zeit viele potentielle Kunden ansprechen (per Brief, Messe oder Telefon)

(2) In der ersten Reaktionsphase »sieben« wir aus und erhalten so den wirklichen Interessentenkreis

(3) Dieser kleinere Kreis wird erneut mit einer verfeinerten Methode bearbeitet, wodurch sich die Bedarfslage klärt

(4) Jetzt haben wir eine sauber geordnete Zielgruppe, die in kürzeren Intervallen mehrmals angesprochen wird

(5) Aufträge sind das Ergebnis. Unser Ziel ist erreicht.

Man kann sich darüber streiten, ob eine achtstufige Bearbeitung, wie es das graphische Beispiel zeigt, wirklich erforderlich ist. Eines ist jedenfalls klar: Einmal nur anschreiben und abwarten ist entschieden zu wenig. »Einmal ist keinmal«, sagt der Volksmund.

Was geht im Kopf des Menschen vor, bevor er sich für den Kauf eines Produktes entscheidet? Selten wird er zu einem Produkt greifen, wenn er es zum erstenmal sieht. Meist wird er geraume Zeit brauchen, wobei er immer wieder sich selbst an die neue Idee erinnert oder erinnert wird. Deswegen müssen wir auch den Kunden mehrmals ansprechen. Die Zeitabstände sind dabei so zu wählen, daß sich der Kunde noch an die Erst- oder die vorhergegangene Ansprache erinnert.

In Kapitel 2, in dem wir über Werbebriefe sprechen, arbeiten wir eine solche mehrstufige Aktion aus.

Ja, und wie steht es mit der *Menge?* Lieber »Massen«, sagen wir 5000 potentielle Interessenten, auf einmal ansprechen *oder* individuell bleiben, eine überschaubare Zahl von 200 bis 300 auswählen? Analysieren wir einmal kritisch.

Die *Massenansprache* ist sehr teuer, aufwendig und unübersichtlich. Bei dieser Vorgehensweise können wir unmöglich jeder Adresse in einem überschaubaren Zeitraum von vier Wochen nachgehen, wenn

Der TRICHTER-Effekt der Neukunden-Werbung

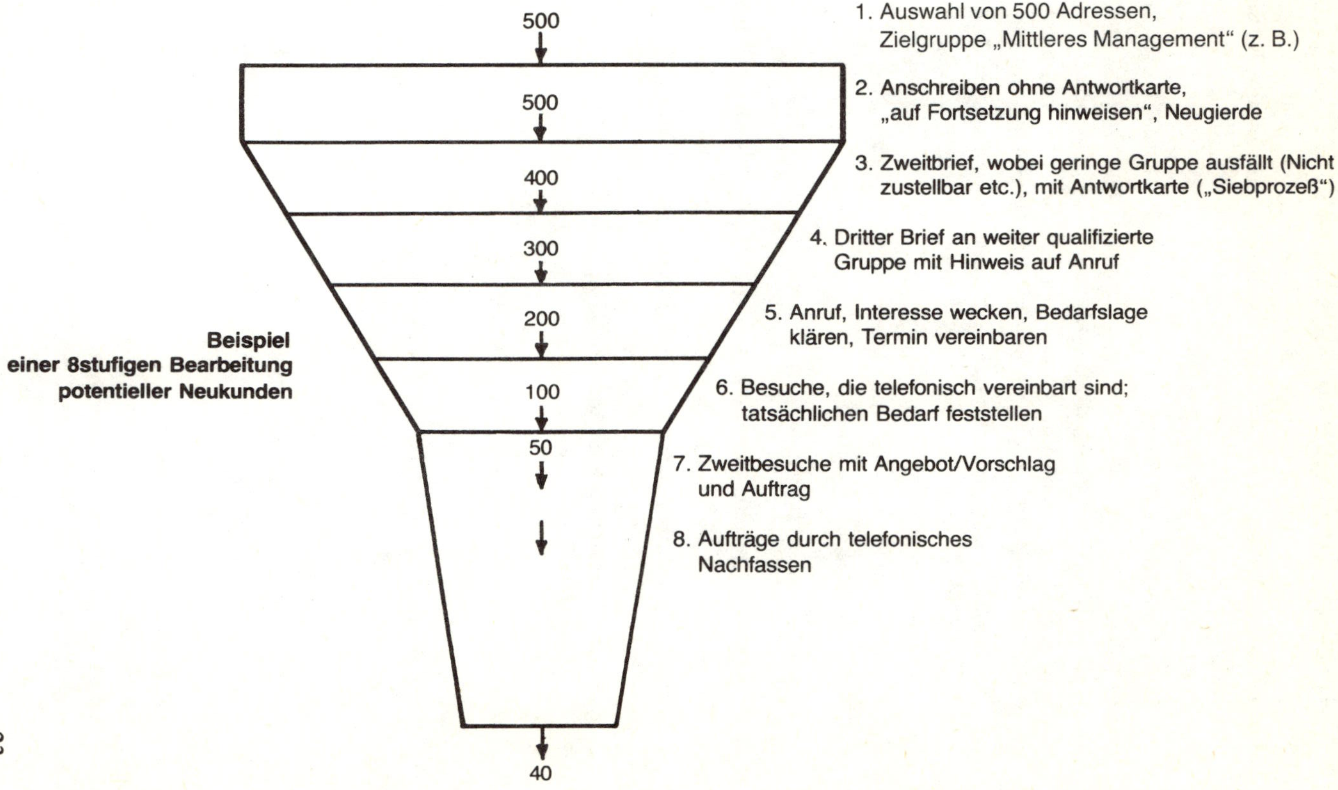

wir davon ausgehen, daß wir pro Tag kaum mehr als 40–50 Telefongespräche zur Nachbearbeitung führen können. Die Massenaussendung eignet sich nur, wenn unsere Firmenzentrale für alle Kollegen gleichzeitig sorgen möchte oder wenn das Produkt allein durch den Brief verkauft werden soll und kann.

Also für uns im Außendienst: *Qualität vor Quantität!* Die Menschheit »vermaßt« immer mehr, wir leben heute in einer Art von »Fern«-barschaft statt in Nachbarschaft, die Einsamkeit der Menschen nimmt in dieser Gesellschaft eher zu. Trotz mehr Freizeit. Deswegen möchte ein Kunde individuell behandelt werden, dieses Gefühl müssen wir ihm denn auch vermitteln. Weiter sucht der moderne Mensch mehr nach Geborgenheit und Harmonie als früher. Erfüllen wir ihm diese Wünsche durch einen angenehmen Kontaktrhythmus, dann stehen wir einen Schritt näher am Auftrag, unsere Abschlußquote steigt allein dadurch.

Auch in Branchen, in denen man nicht mit Briefen werben kann oder will, benötigen wir eine klare Strategie. Für Direktverkäufer hat sich folgendes System bewährt, das ebenfalls nach dem Trichter-Prinzip aufgebaut ist:

1. Wie viele Kontakte/Adressen benötige ich, wenn ich X Aufträge oder Y Umsatzhöhe haben möchte?
2. Wie viele Besuchstermine kann ich daraus bekommen?
3. Wie viele echte Beratungsgespräche werden daraus?
4. Wie viele Kunden hole ich aus den Beratungsgesprächen?
5. Wie viele Aufträge/Umsatz macht jeder Kunde?

Diese Fragen stellen wir uns jedesmal, wenn wir die neue Woche planen. Anschließend sorgen wir für die Aktion!

Und eine Woche später vergleichen wir die Ergebnisse (Ist) mit unserer Planung (Soll). Dabei stellen wir fest, daß bestimmte Ziele erreicht sind, manche untererfüllt wurden.

Ersteres führt zu Eigenmotivation, die uns zuversichtlich für neue Erfolge macht. Letzteres nehmen wir sehr ernst. Kritisch fragen wir uns

- was haben wir unterlassen?
- welche Fehler haben wir gemacht?
- haben wir uns zuviel vorgenommen?
- wer könnte uns helfen, unsere Schwächen zu beseitigen?

Denn Eigenkontrolle, wofür der Soll-Ist-Vergleich dient, hat nur dann einen Zweck, wenn wir daraus unsere Konsequenzen zur stetigen Leistungssteigerung ziehen.

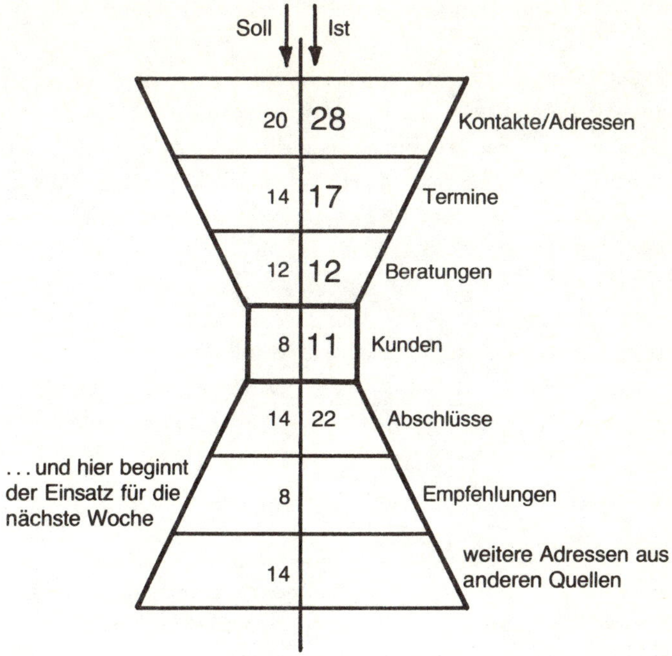

Analysieren wir unseren Kollegen:

(1) Er hat eindeutig seine Zielsetzungen überschritten, jedenfalls dreimal. Erfreulich für ihn, daß er drei Kunden mehr gewonnen hat, als er sich vorgenommen hatte.

(2) Er war sicherlich sehr fleißig bei der Gewinnung neuer Adressen, wobei er 28 statt der angepeilten 20 gewann.

(3) Auch hat er drei Termine mehr bekommen als »erforderlich«.

(4) ... doch die Quote 20:14 ist besser als das Ergebnis 28:17; folglich stimmte an seinem Terminvereinbarungsgespräch am Telefon etwas nicht,

(5) was man auch vermuten muß, weil von 17 Terminen nur 12 Beratungen stattgefunden haben, also fünf »geplatzt« sind.

(6) Jedoch seine Abschlußtechnik, wenn er bei den Kunden ist, war

hervorragend: Die Verhältnisse 12:11 und 11:22 sind beide eindeutig besser als die entsprechenden Sollzahlen.

Konsequenzen für unseren Kollegen:

A) Terminvereinbarungsgespräch verbessern!

B) Über Abschlußtechniken einen Vortrag vor seinen Kollegen halten.

Selbstverständlich müssen wir auch die Inhaltsfolge der einzelnen Kundengewinnungsstufen einer strategischen Betrachtung unterziehen. Ohne zu überlegen machen wir hier leicht den Fehler, daß der Kunde den Eindruck eines »Gemischtwarenladens« bekommt, anstatt die allmähliche Entdeckung der absoluten Notwendigkeit, sich mit uns auseinanderzusetzen und später zu kaufen.

Dazu müssen wir zunächst eine klare Linie im Konzept haben, einen roten Faden. Der Interessent sollte unsere Informationen wie einen spannenden Fortsetzungsroman erleben, wobei er immer auf den nächsten Kontakt (Brief, Anruf, Besuch) gespannt ist. Deswegen benötigen wir eine *Argumentenkette,* wobei sich ein Argument logisch an das andere reiht.

Beispiel einer *abgestuften* Information, wobei sich die Argumente logisch fortsetzen:

1. Herr Kunde, Branchen gehen ein – andere Branchen wachsen.
   So wissen wir heute, daß die bundesdeutsche Bevölkerung wesentlich mehr Freizeit hat als vor zehn Jahren. Ergo, wird auch mehr Geld in die Freizeit gesteckt.
   Wollen Sie an diesem Geld teilhaben?
2. Letztes Mal haben wir über die Chancen von Freizeit-Artikeln gesprochen.
   Diesesmal wollen wir Ihnen eine Möglichkeit mitzumachen, vorstellen: Die private Beteiligung an Tenniscenters oder Eislaufcenters.
   Interessant?
3. Jetzt, Herr Kunde, geht es ums Geld.
   Wenn man 12 % Netto-Rendite, also nach Steuern verdienen könnte, wäre das interessant?
   Computerberechnung beilegen.
   Sollen wir Ihre persönliche Erwartung im Beteiligungsfall durchrechnen?

Und so weiter.

Oder hier das Beispiel einer Speditionswerbung:

1. Brief
Die Kundentreue hat im allgemeinen abgenommen. Das Wandern der Kunden nimmt zu.
Deswegen bekommt Service eine neue Dimension. Zuverlässigkeit ist das Schlagwort.
2. Brief
Aber es geht nicht nur um die Zuverlässigkeit in der Auslieferung, Service beginnt früher.
Ihre eigene Administration platzt aus allen Nähten. Wir helfen Ihnen dabei, Zeit zu gewinnen.
Wie? Das sagt Ihnen Herr Star, er ruft Sie an.
3. Anruf
Herr Kunde, wie man durch das Kombinieren von Sendungen unter Ausnutzung neuester Erkenntnisse physischer Warenverteilung Geld sparen könnte, das wird Sie interessieren.
Wann paßt Ihnen ein Gespräch?

Fassen wir zusammen: Worauf kommt es bei der Strategie der Neukunden-Gewinnung an?

7 Goldene Regeln

1. Erst Denken dann Handeln!
2. Ohne Zielsetzung vergeuden wir Kräfte, mit Ziel können wir Kräfte konzentrieren.
3. Der Trichter-Effekt sagt uns mit welcher »Menge« wir rechnen müssen.
4. Qualität in der Ansprache vor Quantität/Masse!
5. Ein Soll-Ist-Vergleich hilft uns Stärken und Schwächen gezielter zu erkennen.
6. Die Argumente der einzelnen Kontakte müssen logisch aufeinander aufgebaut sein
7. und die Brisanz der Aussage steigern, die Neugierde wecken, den Besitzwunsch (Habsucht) immer stärker werden lassen.

2. Kunden per Brief gewinnen

2.1 Wie wirbt man per Brief mit Vakuum-Wirkung?

Der Brief kann ein äußerst günstiges Mittel der Neukunden-Werbung sein, aber auch ein sehr teures. Erfolge hängen einzig und allein von der Konzeption ab. Warum? Nun, die Informationsflut ist in den letzten 12 Jahren progressiv angeschwollen*, die Kunden werden

Machen wir uns Gedanken,

> WODURCH KÖNNEN WIR UNS VON ANDEREN POSITIV UNTERSCHEIDEN!

* Denken wir nur einmal daran, wieviel Informationen wir bekamen als noch nicht quasi an jedem Arbeitsplatz ein Kopiergerät stand. Doch heute werden von jedem Schriftstück sicherheitshalber gleich noch ein paar zusätzliche Kopien gemacht. »Es könnte ja sein, daß sich Meier dafür interessiert« oder »Dem Müller muß ich unbedingt ein Beispiel meines Fleißes geben«.

überfordert, wollten sie alles was sie bekommen, lesen. Die Wegwerfquote nimmt deswegen automatisch zu. Wir können davon ausgehen, daß ein Werbebrief, wenn er so aufgemacht ist wie viele andere, schon allein deswegen ungeöffnet in den Papierkorb fliegt.

Ein guter Werbebrief befolgt deswegen die *6-A-Regel* (S. 29), eine Weiterentwicklung des Autoren bekannter Formeln, mit der man einem Stoßkeil gleich den Markt öffnet.

Eine Aufstellung, die zu vervollständigen ist:

Was können wir ANDERS tun als ANDERE?

1. **Schrifttype/-art**	– Handschrift? – 2 Typen abwechselnd? – – –
2. **Briefformat**	– DIN A3 (doppelt A4)? – DIN A2 oder A5? – – –
3. **Inhalt/Aussage**	– eine Fragestellung? – eine Provokation? – – –
4. **Gestaltung**	– Schrift querformatig? – kleines Blätterbuch (comic)? – – –
5. **Bilder**	– Blick durchs Schlüsselloch? – Bauzaun (evtl. mit Lücke)? – – –
6. **Beilage**	– vergoldeter Schlüssel? – Streichholz „Fangen Sie Feuer“? – – –

7. **Anrede**	– ohne „Sehr geehrter . . .“?
	– mitten im Text erst?
	–
	–
	–
8. **Brieflänge Textgestaltung**	– nur 10 Zeilen?
	– nur linke Hälfte beschreiben?
	–
	–
	–
9. **Aufforderung**	– „Rechnen Sie hier, hier ist Platz!“ –?
	– „Rufen Sie an, wenn Sie kritisch sind!“ –?
	–
	–
	–
10. **Umschlag**	– Brief im Ausland posten?
	– Adresse handschriftlich?
	–
	–
	–
11. **Zeitpunkt**	– 3 Briefe in Abständen von je 8 Tagen?
	– mit unterschiedlicher Aussage?
	–
	–
	–
12. **Motivansprache**	– „Gehören Sie zu den wenigen, die . . .“?
	– „Wenn Sie X haben, dann . . .“?
	–
	–
	–

Sicherlich ist diese Liste nur ein kleiner Ausschnitt aus vielen Möglichkeiten, die aber erst überlegt und kreativ umgesetzt werden müssen. Wenn wir regelmäßig Werbebriefe entwerfen müssen, empfiehlt es sich, eine Ideenkartei für unkonventionelles Vorgehen im Sinne der 6-A-Regel anzulegen.

Natürlich kommt es bei Direktwerbung zunächst darauf an, was ich überhaupt erreichen möchte. Will ich durch Briefe ausschließlich mein Produkt verkaufen, was beispielsweise bei Produkten bis 1000 Mark keine Schwierigkeit sein dürfte: Oder will ich durch die Briefe auf mich/mein Unternehmen aufmerksam machen, um so zu einer späteren

Besuchsterminvereinbarung zu kommen? Oder will ich mich nur bekanntmachen, damit der Kunde bei einem späteren Bedarfsfall weiß, wohin er sich wenden kann?

Je nach Zielsetzung sind natürlich unterschiedliche Überlegungen notwendig. Wir werden uns hier in diesem Kapitel mehr mit der Methode auseinandersetzen, wie man durch Briefe sich seine Besuchsterminvereinbarung erleichtern kann. Obwohl wir sagen müssen, daß für den Fall des Produktverkaufs nur wenige weitere Regeln zu beachten sind.

Die Vorteile der Direktwerbung liegen auf der Hand. Wir können von Tageszeiten unabhängig konzipieren, jede gewünschte Menge produzieren, können exakt selektieren, haben viele gestalterische Freiheiten und unsere Wettbewerber kommen nicht so schnell dahinter. Direktwerbung kann aber auch exakt gemessen und der Erfolg kontrolliert werden.

Deswegen sollte der, der ständig damit zu tun hat, durch ständige Auswertung des Werbeerfolges laufend seine Erfolgsquoten steigern.

1. Berechnung des Direktwerbebudgets

Was darf ein neu gewonnener Kunde anteilig an Direktwerbung kosten? 30 Mark, 50 Mark oder gar 100 Mark? Das ist die entscheidende Frage.

Beispiel

Kampagne Objekt „Beilstein"
100 Briefe, einseitig bedruckt mit 1 Fotokopie als Beilage, abgesandt als Normalbrief zu DM –,60/Brief

Kosten	Brief konzipieren, 2 Stunden à DM 100,–/Lohn	DM 200,–
	Brief drucken	DM 15,–
	Briefpapier/Umschlag/Kopie	DM 30,–
	Couvertieren 1 Stunde à mit Postabfertigung	DM 55,–
	Porto	DM 60,–
1 gewonnener Kunde kostet		DM 330,–
bei 1 % Rücklauf (Antwortkarten)		DM 330,–
bei 2 % Rücklauf		DM 165,–
bei 4 % Rücklauf		DM 82,50

Die Kosten je neu gewonnenen Kunden verhalten sich also rückläufig je mehr Kunden mir meine Aktion bringt. Deswegen ist es zwingend erforderlich, laufend dafür zu sorgen, daß schon durch die Konzeption mit einer möglichst hohen Rücklaufquote zu rechnen ist.

2. Zielgruppenfindung

Zunächst haben wir natürlich unsere *eigenen Adressen*, denen auch dann, wenn wir seither zuverlässig gearbeitet haben, höchste Priorität zuzuordnen ist, da die Erfolgsquoten die höchsten sind.

Eine eigene Adressenkartei ist durch keine gekaufte Adresse zu ersetzen, wenn wir diese gut gepflegt haben. Am besten führen wir mit den gespeicherten Interessenten einen Dialog; wer siebenmal nicht antwortet fliegt raus (z. B.).

Auch ist die eigene Adressenkartei von der Kostenseite her interessant, weil sie relativ günstig ist. Ab 2000 Adressen benötigen wir meist einen EDV-Speicher, gekoppelt an einen Schreibautomaten, wofür es genügend Anbieter gibt.

Selektionsmerkmale für die eigenen Adressen sind:

(1) Herkunft (»Woher stammt der erste Kontakt«)
(2) Datum des letzten Kontaktes
(3) Auftragswert (wenn bereits gekauft)
(4) Kaufpotenz

Die *externen Adressenquellen* können hier gar nicht vollständig aufgeführt werden, es sind zu viele. Ohne Kosten zugänglich sind das öffentliche Adreßbuch, Telefonbuch, Branchenfernsprechbuch (gelbe Seiten), Verzeichnisse der Industrie- und Handelskammern sowie der Handwerks-Innungen. Die Kosten entstehen hier nur bei der meist umständlichen Herausschreiberei.

Mit Kosten verbunden sind die Adressen, die man bei Adressenverlagen, Werbeagenturen, der Postreklame und verschiedenen Versandhäusern kaufen kann. Interessant bei diesen Adressen ist die hervorragende Selektionsmöglichkeit nach Kaufkraftklasse, Regionen, Berufen, Ortsgrößen, Funktionen oder gar Kaufverhalten (Postkäuferadressen). Nachteilig dürfte sich oft auswirken, daß darunter manche »Leiche« steckt oder andererseits es sich um einen vielgeplagten Adressaten handet (z. B. Kreditkartenbesitzer).

Wichtig für die Zielgruppen-Bestimmung ist die Analyse der eigenen Kundenkartei, darüber hinaus das zu erwartende Käuferverhalten (Wo gibt es noch »trockene Schwämme«) sowie die Gebietsfrage (»Wo sind die Kunden am meisten umworben, wo kann man andererseits ungestörter arbeiten?«).

3. Die einzelnen Reaktionsphasen beim Brief-Empfänger

Intensive Untersuchungen haben ergeben, daß ein Empfänger einer Direktwerbe-Botschaft mehrere Phasen durchläuft, bevor er sich zur Reaktion »Kauf« oder »Anrufen« entschließt.

Phase 1	Werbung? – Papierkorb! (Lehnt Werbung ab)
Phase 2	Was ist das? (Neugierde vorhanden) Spricht ihn nicht an – Papierkorb!
Phase 3	Liest – könnte mal interssant sein – Ablage! (Kommt wieder im Bedarfsfall)
Phase 4	Interesse vorhanden – zur Seite legen! (nimmt Werbung bald wieder zur Hand)
Phase 5	Reaktion »Kauf« oder »Anruf« oder »Karte absenden«! Reaktionsschwelle überschritten

Unsere Direktwerbung muß diese Phasen überbrücken und so häufig wie möglich Phase 5 erreichen. Dazu ist notwendig, daß die Konzeption stimmt:

1. Produkt/Angebot/Vorschlag muß stimmen
2. Direkt-Werbe-Package (Brief/Umschlag/Inhalt) muß stimmen
3. Zielgruppe muß stimmen

Der renommierte Direktwerbeberater und -trainer *Siegfried Vögele** spricht davon, daß die ersten 20 Sekunden beim Postempfänger überschritten werden müssen, da dies die Leseschwelle ist. Dazu benötigen wir die *Kiss*-Methode.

K	Keep	Halte
I	it	es
S	Short and	kurz und
S	Simple	einfach

In 20 Sekunden also gilt es den Leser positiv hochzustimmen. Und dabei muß einfach alles stimmen.

4. Der Umschlag

Das Kuvert vermittelt dem Empfänger einen ersten Eindruck. Es wirkt bereits im geschlossenen Zustand.

* Mit dem mich eine erfolgreiche Partnerschaft verbindet.

Und der erste Eindruck ist deswegen so besonders wichtig, weil er sich auf weitere Empfindungen prägend auswirkt.

Ein beige-grauer Umschlag wirkt oft leicht schmutzig und vermittelt kaum das Sorgfalts-Empfinden des Absenders. Das blütenfarbige weiß dagegen gewählt und schon wird dem Empfänger signalisiert, daß er vom Absender Reinheit, Klarheit und Korrektheit erwarten darf.

Das gleiche gilt für Ihr Firmenzeichen. Steht es senkrecht (Stabilität!) oder liegt es nach links (Rückschritt!) ... oder ist es nach rechts geneigt (Dynamik!)?

Die Entwicklung eines Firmenzeichens darf nicht den Launen eines Graphikers entspringen. Hier muß viel Sorgfalt und das Wissen um psychologische Signalwirkungen von Emblemen am Platze sein.

Das Firmenzeichen meiner eigenen Beratungsorganisation,
Detroy Consultants International,

ist deswegen auch nicht aus irgendeinem Zufall heraus entstanden. Und die Farbe ist nicht deswegen Mittelblau, weil es meine Lieblingsfarbe wäre. Nein. Betrachten wir dieses Zeichen, stellen wir es uns in Mittelblau vor:

Was wird es wohl darstellen?
Die meisten Menschen äußern sich spontan so:

(1) links vor, rechts nach dem Training
(2) aufwärtsstrebend

(3) dynamisch nach oben zeigend
(4) präzise und zuverlässig
(5) solide und konkret

Man könnte die Aufstellung fortsetzen. Natürlich war die Suggestion in diese Richtung voll beabsichtigt, obwohl dieses Signet das einfachste war, das die bekannte Graphikerin Gabriele Semela vorschlug.

Sie hatte jedoch auch die Aufgabe, die Initialen oder den Namen des Firmengründers darzustellen. Schließlich ist es deswegen ein kleines »d« für Detroy.

Ähnliche Assoziationen trifft der Empfänger sofort, in dem Moment, wo er unseren Brief noch ungeöffnet in den Händen hält. Und der Umschlag soll deswegen das aussagen, was wir darstellen möchten.

Greifen wir nur zu einer aufwendigen werblichen Aussage oder gar zu einer reißerischen Aufforderung, wenn wir direkt ein Produkt verkaufen wollen, z. B. Klassenlotterie, Zeitschriften, Parteimitgliedschaft. Hier kann der Umschlag ruhig farbig sein, mit einem Bild oder einer Provokation wie »Auch morgen weiteratmen«.

In dem Fall jedoch, wo es darum geht, Interesse für uns zu gewinnen, wo die Besuchsterminvereinbarung unser Ziel ist, sollte der Briefumschlag so aussehen:

- weißes Papier
- Fenster glasklar
- Absender auf Rückseite

Wir wollen ja die Tür öffnen. Das geht bei dieser Aufgabenstellung nicht, wenn der Eindruck »Hier will einer nur was verkaufen« geweckt wird.

5. Der Brief – Leseverhalten der Empfänger

Es wird immer wieder versucht, Angebote *ohne* Brief abzusenden. Weltweit ist jedoch bewiesen, daß die Erfolgszahlen ohne Brief schlagartig sinken, weil der Empfänger eben einen »Brief« in seinem Briefkasten erwartet.

Wir wollen in diesem Buch allerdings nicht in Form einer Grundlagen-Analyse auf die unterschiedlichen Briefformen (wie gedruckt, individuell geschrieben oder auf Fill-in-Briefe) eingehen. Wir beschränken uns hier auf das Wesentlichste.

Wichtig für uns ist zu wissen, wie sich ein Leser verhält, wenn er einen Brief erhält. Was spielt sich in dem Moment ab, wo jemand beginnt, einen Brief zu lesen. Mit Hilfe von Kameras, die nur auf die Augen vieler Versuchspersonen gerichtet waren, stellte Siegfried Vögele Interessantes fest.

1. Kein Brief wird so gelesen, wie er geschrieben wird, also Wort für Wort.
2. Das Auge springt von Absatz zu Absatz, überspringt ganze Absätze, hält an bestimmten Stellen an und liest anfangs wenig.
3. Nur eine Sache wird gleich am Anfang Wort für Wort gelesen: der Nachsatz, das P.S.
4. Die Augen der meisten Versuchspersonen beschreiben die Form eines großen »S«, mit dem sie sich zuerst einen Überblick verschaffen und anschließend entschließen, ob sie den ganzen Brief lesen. Die Abbildung auf folgender Seite veranschaulicht dies deutlich.

Was können wir daraus positiv für uns ableiten?

Analysieren wir die Lesekurve, die in Klammern stehenden Zahlen verweisen auf die entsprechende Stelle des Briefes auf der kommenden Seite.

(1) Absender

Der Leser fragt als erstes: Wer hat mir geschrieben. Jetzt schon »wird« entschieden, ob er uns akzeptiert. Hier sollte unser Firmenzeichen stehen oder ein wichtiger Kernvorteil vermerkt sein.

Auch kennen wir Fälle, wo hier in Form eines Slogans auf den Vorteil einer Entscheidung für uns hingewiesen wird.

Protzigkeit zahlt sich nicht aus. Die Schlichtheit eines Firmensignets sollte gleichzeitig Assoziationen wecken, vergleichen wir die Seiten 35 und 36 dieses Kapitels.

(2) Empfänger

Das Auge ist nun beim Anschriftenfeld angekommen. Eine ungeklärte Frage wird geweckt: Woher kennt er mich, wie kommt er auf meine Adresse?

Ergibt sich als Lösung »Adresse ist wohl gekauft«, ist der Brief sofort papierkorbreif.

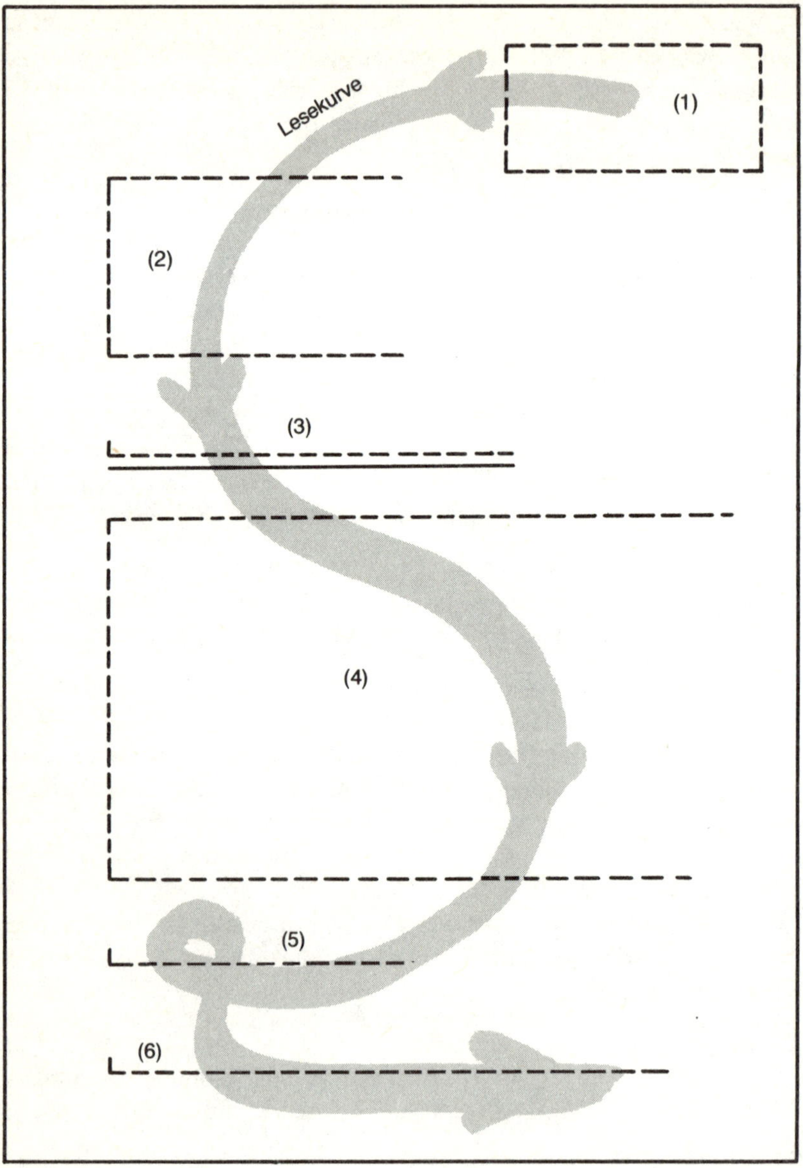
(1)
Lesekurve
(2)
(3)
(4)
(5)
(6)

In der amerikanischen Fachzeitschrift Direct Marketing wurde 1971 eine Untersuchung der Universität Wisconsin veröffentlicht. Sekretärinnen von Managern wurden befragt, nach welchen Kriterien sie die Eingangspost für den Chef sortieren. Es sagten:

79 % die Anschrift muß stimmen.
Post mit falschen Namen kommt nicht zum Chef.
37 % bitte persönliche Anrede – auch in der Werbepost.
78 % mein Chef hat einen Titel ... und legt Wert darauf.
93 % (!) betonen Sie seine Stellung im Unternehmen.
78 % die Gestaltung ist wichtig, sonst wird die Post weggeworfen.

Konsequenzen: Exakte Adresse mit Titel und Stellung.

Bei Massenaussendungen, wobei eine Adressierung im Adressenfeld nicht möglich ist, sollte in diesem Feld eine Kurzfassung des Vorteils stehen, quasi als Adressen-Ersatz.

(3) Überschrift / Betreff / Headline

Es muß wohl kaum mehr erwähnt werden, daß Hinweise wie »Betr.:« vollkommen überflüssig, wenn nicht gar störend sind, weil wir scheinbar eine veraltete Denkweise haben.

Aber ohne Headline darf kein Brief sein. 64 % der von der Universität Wisconsin befragten Sekretärinnen meinten, die Schlagzeile helfe bei der Zuordnung.

Und für den Chef gilt: Wenn er ohne Schlagzeile lesen muß und erst in 4 oder 5 Minuten erkennt, daß dieses Angebot für ihn vollkommen überflüssig ist, ist er zu Recht verärgert. Eine negative Meinung uns gegenüber wird auch jede weitere Werbebemühung erschweren.

Was soll in der Überschrift stehen? Bitte nicht der Name unseres Produktes! »Nur Verkaufen« ist dann der Gedanke des Lesers. Sondern eine Aufforderung, eine Erklärung oder ein Nutzen des Kunden. Beispiele:

»Der Inflation ein Schnippchen schlagen!«
»Wollen Sie morgen zu denen gehören, die ...?«
»Öl wird knapp, sichern Sie sich Ihren Anteil!«
»Täglich eine Stunde Zeit sparen!«

(4) Inhalt

Diesem Thema widmen wir einen ganzen Artikel im Anschluß an

dieses Kapitel. Vorab sei gesagt, daß es im wesentlichen auf Kürze und Würze ankommt.

Unterstreichungen stoppen das Auge, es verbleibt eine Viertelsekunde auf dem unterstrichenen Wort. Das führt zu einer besseren Einprägsamkeit.

Ein guter Direktwerbebrief umfaßt 2, höchstens 3 Absätze mit jeweils maximal 5 Zeilen. Wirkt der Text »voll«, wird der Brief nicht gelesen.

Es gilt die Lesemotivation zu wecken.

(5) Unterschrift

Ein Brief ist kein Dialog, er ist ziemlich unverbindlich, weil meist keine sofortige Antwort des Lesers notwendig ist. Deswegen müssen wir alles tun, den Brief zu einer Art »Dialog« werden zu lassen.

Dazu gehört, daß der Schreiber so bekannt wie möglich wird. Deswegen muß die Unterschrift selbst *lesbar* sein. Es genügt nicht (!), allein mit der Schreibmaschine unter der Unterschrift den Namen auszuschreiben.

Unleserliche Unterschriften werfen unnötige Fragen auf, die die positive Einstellung zu uns erschweren:

»Das kann doch nie Hans Müllerdirks heißen«

»Der Mann hat wohl eine Profilneurose, sonst ...«

»Wie lange hat der wohl an seiner Unterschrift geübt«

Der Brief ist relativ anonym und unverbindlich. Deswegen empfiehlt es sich auch, nicht nur mit dem Familiennamen, sondern mit vollem *Vor-* und Zunamen zu zeichnen. Wir Menschen haben eine viel engere Verbindung zu unserem Vornamen, sprechen Menschen, zu denen wir eine freundschaftliche oder intime Verbindung haben sowieso mit Vornamen an. Nutzen wir unseren Vornamen aus, schlagen wir dadurch die Brücke zum Empfänger.

Übrigens, wenn mehrere Kollegen gleichzeitig und gleichberechtigt den Brief unterschreiben könnten, sollte es der tun, der den wohlklingendsten und verständlichsten Namen hat. Also Namen wie Paul Prinzen, Helmuth Sauer, Peter Frech, Toni Schmücker und Kurt Zweigle sind dabei favorisiert.

Unternehmen, die ausschließlich von der Direktwerbung leben, erfinden sogar Theaternamen wie Ulla Herzog, Karin Graf, Ursula König. Viele Empfänger haben sich sicher schon gefragt, ob es diese Personen überhaupt gibt.

Und dann bitte mit blauer Farbe unterschreiben, nicht mit schwarz.

(6) Nachsatz / Postscriptum / P.S. / N.S.

Als kaufmännische Lehrlinge (heute Auszubildende) haben wir in der Berufsschule gelernt:

Wer einen Brief mit einem P.S. verschickt, signalisiert dem Empfänger deutlich, daß er unkonzentriert den Brief verfaßt hat.

Suggestion: Genauso wird es bei einer Zusammenarbeit mit diesem Unternehmen sein.

Deswegen: Nie ein P.S. schreiben.

Doch in der modernen Werbepsychologie müssen wir diese an und für sich logische und erklärliche Weisheit schnellstens wieder vergessen. Ergaben doch die Studien der Augenkamera, daß 9 von 10 Lesern sofort das P.S. lesen, und zwar Wort für Wort, daß das P.S. sich sofort einprägt.

Deswegen für unseren Werbebrief:

EIN P.S. DARF NIE FEHLEN!

Was sollte im Nachsatz stehen?

1. Der größte Vorteil als Wiederholung des Inhalts.
2. Die Aufforderung etwas Bestimmtes zu tun:
   »Werfen Sie die Antwortkarte heute noch ein!«
   »Rufen Sie an, wenn Sie wissen wollen, wie Sie noch sicherer Fliesen kleben können!«
   »Die kostenlose Broschüre erhalten Sie, wenn Sie heute noch die Antwortkarte abschicken.«
   »In 8 Tagen erfahren Sie mehr!«

Wie steigern wir unsere Erfolgsquote bei der brieflichen Werbung?

12 Goldene Regeln

1. Die 6-A-Regel, ausgelegt im positiven Sinne, perfekt anwenden.
2. Die ideale Zielgruppe vorher genau definieren.
3. Das Adressenmaterial ständig optimalisieren.
4. Die fünf Reaktionsphasen kennen und beachten.
5. Der Umschlag muß genau das signalisieren, was der Empfänger haben möchte.
6. Unser Firmenzeichen und die -farbe dürfen nicht von eigenen Bevorzugungen abhängen.
7. Das Leseverhalten (S-Kurve) berücksichtigen.
8. Absender steht (möglichst) rechts oben am Brief.
9. Der Empfänger ist so persönlich wie möglich (mit Vor- und Zuname, Titel, Stellung) anzusprechen.
10. Der Betreff darf nicht das Produkt mit Namen nennen, sondern soll einen potentiellen Nutzen suggerieren.
11. Die Unterschrift soll leserlich und mit Vor- und Zunamen sein.
12. Kein Brief ohne P.S.

2.2 Wie schreibt man einen zündenden Werbebrief?

Die Flut der Werbebriefe ebbt nicht ab, sie nimmt zu. Wir müssen also schon etwas Besonderes leisten, soll unser Brief die Aufmerksamkeit bekommen, die wir wünschen. Eigentlich ist diese gedankliche Schlußfolgerung logisch und einfach nachvollziehbar. Jedermann müßte sie eigentlich beachten. Um so erstaunlicher ist es, zumal wir ja schon vor 20 Jahren von dem auszurottenden Kaufmannsdeutsch sprachen, welche irrsinnig konstruierten Briefe potentielle Kunden erreichen.

Kennen wir eigentlich die Elemente der Wegwerfbriefe, und sind wir uns darüber ständig bewußt, wenn wir einen Brief formulieren?

Eine fast schon an Beleidigung grenzende Tatsache ist, daß den Kunden oft durch eine längere Zahlenkombination (Angebots-Nummer, Abteilungsbezeichnung) eingeflößt werden soll, um was für ein großes Unternehmen es sich handelt. In Wirklichkeit bekommt er den Eindruck, »Dort bin ich nur eine Nummer«, und allein die Last, die Zahlen auf der Antwortkarte auch noch mitteilen zu müssen, hält ihn schließlich ganz von einer Antwort ab.

Was hat eigentlich der Gerichtsstand gleich oben im Briefkopf zu suchen? Wohlgemerkt bei einem Werbeschreiben? Schrecken wir nicht unnötig ab?

Und warum möchte mancher Anbieter unerkannt bleiben? Jedenfalls muß man das vermuten, wenn die Unterschrift unleserlich ist und sich auch sonst aus dem Brief nicht schließen läßt, welche *Person* uns schreibt?

Es drängt sich geradezu der Eindruck auf, als ob so mancher Schreiber nie etwas über Lesemotivation gehört hätte, sonst würde er keine endlos langen Zeilen schreiben, die Sätze nicht unnötig oft verschachteln und häufiger Absätze machen.

Die Verständlichkeit des Briefinhaltes nimmt dann noch schlagartig ab, wenn wir in einem Satz gleich drei Gedanken ausdrücken wollen. Beurteilen Sie einmal die Briefausschnitte auf der kommenden Seite. Wir haben absichtlich alle Hinweise, die auf den Absender hindeuten könnten, unleserlich gemacht.

So etwas gibt es tatsächlich!

Durchleuchten wir gemeinsam diesen Papierkorbbrief, denn aus den Fehlern anderer können wir nur lernen!

(1) Ihr Zeichen Ihre Nachricht vom Unser Zeichen 2/D [redacted] , den 25. 4. [redacted]

Betreff: Bauvorhaben [redacted]
[redacted]anlagen

(2) Sehr geehrte Herren,

(3) dankend bestätigen wir den Erhalt Ihrer sehr geschätzten Anfrageunterlagen, die
(4) uns über unseren Niederlassungsleiter Kassel, dortselbst Herrn [redacted], vorgeleg-
werden.

Auf Grund Ihrer uns gemachten Angaben und vorgetragenen Ausführungswünsche über-
reichen wir Ihnen inder Anlage unsere Angebotsunterlagen Nr. [redacted] bis [redacted]
(5) Wir bitten die Einzelheiten unserer heutigen Vorschläge aus diesen Unterlagen
zu entnehmen. Maßliche Details wollen Sie bitte aus beigefügten Zeichnungen
(6) [redacted] für die seilbetriebenen [redacted]anlagen und [redacted] für die
seil-hydraulischen Anlagen ersehen.

Die Gesamtausführung der angebotenen Aufzugsanlagen erfolgt in einer sehr kräf-
(7) tigen undsauberen Konstruktion, die bei sachgemäßer Nutzung und fachgerechter
Pflege eine sichere und störungsfreie Betriebsweise gewährleistet. Die konstruk-
tive Ausbildung der Anlagen entspricht in allen Teilen den zum Zeitpunkt der
Angebotsabgabe gültigen Ausführungsrichtlinien der gesetzlichen Aufzugsbestim-

(8) Gerne hoffen wir, daß unsere heutige AngebotsunterlageIhren Wünschen und Er-
wartungen entspricht. Sollten hierzu noch Unklarheiten bestehen oder weitere
Auskünfte benötigt werden, so bitten wir um Ihre Rückfrage. Zur Ausarbeitung
weiterer Vorschläge sind wir gerne bereit, wie auch unser dort zuständiger
(9) Niederlassungsleiter unserer Niederlassung Kassel, Herr [redacted], zu einer jeder-
zeitigen persönlichen Rücksprache zwecks Entgegennahme weiterer Wünsche Ihrer-
seits bzw.zur Erläuterung unserer Angebotsunterlage zur Verfügung steht.
Für den Fall Ihrer sehr geschätzten Auftragserteilung sichern wir Ihnen im vor-
(10) aus eine gute und gewissenhafte Abwicklung zu.

(11) **Es sollte uns freuen, Ihren sehr geschätzten Auftrag zu erhalten.**

Gerne weiter von Ihnen hörend, empfehlen wir uns Ihnen

hochachtungsvoll

(12) [redacted]

(1) Warum steht hier noch »Betrifft«?
Es reicht eine Überschrift, die auf einen eventuellen Nutzen gleich hinweist. Beispiel
»Energiesparende Sowieso-Anlagen«

(2) Sagen wir zu einem anderen Menschen, wenn wir uns Auge in Auge unterhalten auch »Sehr geehrter Herr...«? Nein, bestenfalls ironisch.
Deswegen doch gleich menschlicher:
»Guten Tag, Herr...« oder
»Grüß Gott, lieber Herr...« oder
»Einen erfolgreichen Tag wünsche ich Ihnen, Herr...«

(3) Warum dankend den »Erhalt der Anfrageunterlagen« bestätigen? Drückt Freude nicht viel mehr aus?
Besser also
»es freut uns, daß gerade Sie sich für unsere Sowieso-Anlagen interessieren« oder
»daß gerade Sie als Betriebsleiter die Leistungsfähigkeit unserer Firma erkannt haben, freut uns. Besten Dank für Ihre Anfrage«

(4) Das Wort »dortselbst« ist überflüssig – reines Kaufmannsdeutsch, genauso »vorgelegt«. Schreiben wir doch
»... die uns der Leiter unserer Kasseler Niederlassung, Siegfried Dreßler, überreichte.«

(5) Wie kann man Einzelheiten aus den Unterlagen entnehmen?
Sind da Schrauben oder Muttern beigelegt? Schreiben wir doch so wie wir es auch sagen würden:
»Unsere Vorschläge zeigen Ihnen eindeutig Ihre Vorteile auf. Lesen Sie dazu Seite 2.«

(6) Auch das Wort »ersehen« kennen wir in der Umgangssprache als veraltet. Besser
»Die Maße stehen in den Zeichnungen.«

(7) Von einer »sehr kräftigen und sauberen Konstruktion« zu sprechen ist überflüssig, weil es eine Platitüde ist. So formuliert »jeder«. Präzisieren wir doch unsere Aussage:
»Die Konstruktion ist so stabil, daß sie die DIN-Norm um 10 % überschreitet.«
Natürlich müßte dementsprechend der ganze Absatz verbessert werden.

(8) Vielleicht »hoffen« die noch immer.
»Hoffen und Harren tun nur die Narren« sagte ein bekannter Rhetorik-Trainer. Sind wir doch sicher, daß das Angebot den Erwartungen entspricht.

(9) Und jetzt wird es unterwürfig, »man ist jederzeit zur Rücksprache bereit«, und würde am liebsten noch weitere Vorschläge ausarbeiten, was die Unsicherheit des Schreibers mitschwingen läßt. Schreiben wir kundenaktivierend:
»Gerne besprechen wir gemeinsam mit Ihnen, wie sich Ihr Projekt am gewinnbringendsten für Sie realisieren läßt.«

(10) »Für den Fall der geschätzten Auftragserteilung sichern wir im voraus eine gute und gewissenhafte Abwicklung zu.«
Einerseits zeigt man auch hier seine Unsicherheit, ein gutes Angebot gemacht zu haben. Andererseits kann man nur »im voraus« etwas zusichern, und letzten Endes erwartet jeder Kunde eine korrekte Abwicklung.
Besser:
»Wir freuen uns auf Ihren Auftrag, weil wir sicher sind, daß gerade dieser Lösungsvorschlag für Sie am rentabelsten ist.«

(11) Und jetzt schlägt es dem Faß den Boden aus, wie man so schön sagt: »Es *sollte* uns freuen«. Warum nicht
»Es *wird* uns freuen«? »Sollte« grenzt an Ironie.
Darüber hinaus wird der Auftrag »geschätzt«, nicht aber der Kunde.

(12) Und über »Hochachtungsvoll« brauchen wir kaum mehr ein Wort verlieren. »Mit freundlichen Grüßen« hat sich längst eingebürgert. Und wer dann noch etwas progressiver sein möchte, schreibt
»Beste Grüße aus Beilstein« oder
»Aus dem strahlenden Mönchengladbach grüßt« oder
»Freundliche Grüße von Haus zu Haus«.

Sicherlich, wir haben nicht jedes Wort analysiert. Bauen wir uns jetzt ein System für positiv wirkende Werbe- und Angebotsbriefe.

1. Unser Brief muß Sicherheit ausstrahlen!

Der Briefstil muß ruhig wirken, nicht donnernd, das tun wir im Gespräch auch nicht. Klare Sätze wirken sicher.

2. Schreiben wir so wie wir sprechen!

Dann wirken wir menschlich, die menschliche Wärme läßt sich so übertragen.

3. Schreiben wir kurze Sätze!

Weil dadurch die Verständlichkeit zunimmt. Länge höchstens 12 Worte. Bitte je Satz nur eine Aussage. Je Satz höchstens ein Nebensatz.

4. Schreiben wir verständlich!

Unser Fachchinesisch (engobierte Dachziegel, Fungibilität der Anlage, 12 μ Eloxalbeschichtung, cw-Wert von 0,34 usw.) müssen wir für den Werbebrief vergessen.

5. Schreiben wir aktiver!

Unser Brief soll Reaktionen auslösen. Dies kann er nur, wenn eine (aktive) Handlung abläuft. Beschreiben wir einen Werdegang der Nutzenentwicklung, die Story eines erfolgreichen Kunden, die zum Nachahmen geeignet ist.

6. Sprechen wir den Besitztrieb an!

Auch hiermit wollen wir eine Reaktion auslösen, nämlich den Kauf, die Absendung der Antwortkarte oder den Anruf des Kunden. Stellen wir deswegen etwas in Aussicht, für den Fall, daß der Angesprochene etwas »Verlangtes« tut.

»Wenn Sie zu meinen 384 Kunden zählen, dann besitzen Sie XYZ.« Oder

»Wenn Sie beiliegende Antwortkarte heute noch zurücksenden, erhalten Sie schnellstens XYZ.« Oder

»Gehören Sie zu den 100 ersten, dann erhalten Sie XYZ.«

7. Sprechen wir das Prestige-Bedürfnis an!

Wir sind alle empfänglich für Ruhm und Ehre, oder mit anderen Worten für Prestige. Nutzen wir dies aus.

Geben wir dem Kunden diese elitären Auszeichnungen:

»Sie gehören zu den wenigen Managern, die ...«

»Warum wir gerade Sie ansprechen ...«

»Dieses Angebot gilt nur für eine ausgewählte Kundengruppe«

»Bevor wir dieses Angebot noch mehr Kunden machen wollen, wollten wir Ihnen die Chance geben ...«

Aber auch mitten im Text müssen »aufwertende« Worte stehen wie Sie, gerade Sie, Sie selbst, für Sie allein, persönlich, Menschen Ihrer Stellung, gerade hochbesteuerte Fachleute wie Sie usw.

8. Schreiben Sie »flott und munter«!

Ein lahmer und schwerfälliger Briefstil schläfert ein, der muntere weckt auf und regt an, sich mit der Sache auseinanderzusetzen.

Beispiel:

»Der 10. Juni könnte wieder ein sorgenreicher Tag für Sie werden. Die Einkommensteuervorauszahlung fällt an, ein nicht allzu niedriger Scheck ist zu unterzeichnen. Das tut weh. Interessiert es Sie, wie man den Scheck kürzen kann? Ein Teil des Geldes nutzbringender verwenden kann?

Dann rufen Sie an! Telefon 02161/53 12 . .

Ich freue mich auf Ihren Anruf.«

9. Fordern wir zu einer Aktivität auf!

Schreiben wir am Ende unseres Briefes nicht »Wir würden uns freuen von Ihnen zu hören«, sondern

»Schicken Sie noch heute ...«

»Rufen Sie an, wenn Sie mitverdienen wollen«

»Greifen Sie heute noch zu, morgen könnte es zu spät sein«

Natürlich können wir auch schreiben

»Bitte, rechnen Sie mit meinem Anruf« oder etwas freundlicher

»Gerne rufe ich Sie deswegen in den nächsten Tagen an«

10. Behalten wir die Initiative!

Wenn der Kunde nicht anruft, dann rufen wir eben an.

2.3 Beispiele guter Werbebriefe

In diesem Kapitel drucken wir einige Werbebriefe ab, von denen wir nachweislich wissen, daß sie überdurchschnittlichen Erfolg hatten. Ganz bewußt verzichten wir auf eine intensive Analyse, da diese schon in den beiden vorangegangenen Kapiteln vorgenommen wurde.

Fall 1

Eine Investitionsgüterfirma versucht Kunden zu reaktivieren.

Ihre Aufzugsanlage in Schmidhausen

Guten Tag,
sehr geehrter Herr Doktor Müller,

vor 10 Jahren hatten Sie sich für den Einbau eines bewährten PFEIFFER-Aufzuges entschieden. Sie waren damit zufrieden, deswegen haben wir auch nichts mehr von Ihnen gehört.

Damit Sie über den technischen Zustand Ihrer Anlage informiert sind, hat PFEIFFER eine FUNKTIONS- und SICHERHEITS-ANALYSE (FSA) entwickelt.
Wie Ihnen bekannt ist, spart eine gut funktionierende Aufzugsanlage Kosten, Zeit und Ärger.

Viele PFEIFFER-Kunden konnten sich bereits von der FSA überzeugen; sie sind begeistert. Deswegen schlagen wir diese auch Ihnen vor.

Nutzen Sie unsere Erfahrung.

Wir werden Sie in den nächsten Tagen besuchen. Selbstverständlich rufen wir vorher an.

Mit freundlichen Grüßen
PFEIFFER KG
Hans Maier
Hans Maier

Fall 2

Eine Gabelstapler-Firma schreibt nach der Anfrage des Kunden.

Stapeln zum halben Preis mit Stapler BÄRENKRAFT

Sehr geehrter Herr Zobel,

für Ihr Interesse an unseren Staplern bedanken wir uns.

Beim Besuch unseres Herrn Volker Haertel nannten Sie folgende Anforderungen:

- Das Gerät soll einfach und leicht zu bedienen sein,
- ein maximales Eigengewicht von 500 kg nicht überschreiten,
- eine Hubkraft von 800 kg haben.

Nach Besprechung und Besichtigung der örtlichen Gegebenheiten kamen wir zu dem gemeinsamen Ergebnis, daß für diesen Einsatzfall unser

Elektro-Stapler BÄRENKRAFT, Type 800

in idealer Weise geeignet ist.
Das Gerät hat einschließlich Batterie ein Eigengewicht von 650 kg und eine Hubkraft von 900 kg. Somit bleibt es immer positiv über der von Ihnen gesetzten Norm.

Was sind die Vorteile dieses Gerätes?
Ein wesentliches Merkmal ist die tief angesetzte Sicherheits-Deichsel, die Sie und Ihr Personal vor Schäden bewahrt.
Gemeinsam mit dem Antriebsteil ist sie ein Garant dafür, daß das Gerät sehr wendig und leicht zu lenken ist.

Sicher wird auch für Sie interessant sein, daß wir Fahrmotore, Antriebselemente und Chassis selbst fertigen. Darauf bekommen Sie volle zwei Jahre Garantie.

Gerne führen wir Ihnen dieses Gerät vor.
Wann paßt Ihnen ein Vorführtermin? Um diese Frage zu klären, ruft Herr Volker Haertel in den nächsten Tagen an.

Wir freuen uns auf eine gute Zusammenarbeit.
Mit den besten Grüßen

Volker Haertel

Volker Haertel

Fall 3

Zur Neueröffnung einer Filiale schrieb eine Dienstleistungsfirma an alle potentiellen Kunden folgende zwei Briefe.

Brief 1:

> Guten Tag,
> sehr geehrte Damen und Herren,
>
> der 1. März könnte für Sie ein hochinteressanter Tag werden. Dann wird es für Sie eine ganze Reihe neuer Möglichkeiten geben, Personalengpässe problemlos zu bewältigen.
>
> Merken Sie sich das Datum gut: 1. März 1981.
> Wir melden uns.
>
> Mit freundlichen Grüßen
> SIEBENSCHÖN KG
>
> Eva Zweigle

Brief 2 zur Eröffnung der Niederlassung:

> Guten Tag,
> sehr geehrte Damen und Herren,
>
> es ist soweit.
> Heute eröffnen wir unsere Niederlassung in Heilbronn. Wir sehen unsere Aufgabe darin, Ihnen mit Rat und Tat bei der Beseitigung von Personalengpässen zu helfen.
>
> Dazu gibt es viele Möglichkeiten:
> - Aus- und Weiterbildung des eigenen Personals
> - Flexiblen Personal-Einsatz-Plan
> - Kurzfristiger Einsatz von externem Personal
>
> Welche Möglichkeit für Sie die beste ist, untersuchen wir gerne bei einem persönlichen Gespräch.
> Gerne rufen wir an, um einen Termin mit Ihnen auszumachen.
>
> Wir freuen uns auf ein Kennenlernen.
>
> Eva Zweigle
> SIEBENSCHÖN KG

Mehrstufige Werbekampagnen an die gleichen Adressen

Um dieses hervorragende System (Fälle 5, 6 und 7) zu präsentieren, bedarf es einer Erklärung.

Wenn ein potentieller Kunde zum erstenmal von uns oder von unseren Produkten erfährt, legt er normalerweise den Prospekt zur Seite, wirft ihn weg und vergißt das Ganze. Bei einer wiederholten Ansprache erinnert er sich rasch, gerät schneller in Begeisterung, legt eventuell die Information wieder weg, der Behaltensgrad ist jedoch größer. Er beschäftigt sich gedanklich damit.

Bei der dritten Konfrontation allerdings sagt er sich »Ja, das will ich mal kennenlernen ... oder kaufen« oder »Verdammt noch mal, weg damit.«

Fall 5

Bei einer großen Spedition warben wir vor einigen Jahren mit folgender Strategie.

1. Brainstorming zur Sammlung *interessanter Ideen*, die man wöchentlich potentiellen Kunden zusenden konnte.
2. Entwurf eines Briefschemas, das geeignet war, um wöchentlich eine dieser interessanten Tips zu veröffentlichen.
3. Auswahl eines überschaubaren Adressenmaterials potentieller Kunden.
4. Versand der Briefe an immer dieselben Adressaten, so daß die Briefe jede Woche am Dienstag ankamen.
5. Diese Aktion lief 8 Wochen, was bedeutet, daß jeder Adressat insgesamt 8 Briefe bekam, die jeweils nur eine Idee beinhalteten. Briefumfang jeweils nur eine DIN-A-4-Seite.
6. Danach wurde die Aktion abgesetzt.
7. Und am Mittwoch der 9. Woche telefonierte man mit allen seither angesprochenen potentiellen Kunden. Die Reaktionen waren überraschend:

   Viele fanden diese wöchentlichen Informationen so interessant, daß sie um die Fortsetzung baten. Über ein geschicktes Terminvereinbarungsgespräch kam es zum Besuch.

   Die Erfolgsquote sprach für sich.

Fall 6

Werbung für ein Immobilienobjekt in München-Schwabing

Ein Immobilienprojekt mitten in Schwabing ist verständlicherweise teuer, bei den Grundstückspreisen fängt es an und bei den Auflagen der Stadt, die sich ebenfalls verteuernd auswirken, hört es noch nicht auf.

Da es sich um über hundert Eigentumswohnungen handelte, galt es gezielt bei den dafür in Frage kommenden kapitalstarken (und schon deswegen heiß umworbenen) Anlegern zu werben. Dazu wurden drei Briefe entwickelt:

Strategie:

1. Aussage in jedem Brief anders.
2. Alle drei Briefe an den gleichen Adressatenkreis.
3. Dabei sollte die Spannungshaltung der zu interessierenden Kunden von Brief zu Brief gesteigert werden.
4. Der Briefempfänger wurde jedesmal zu einer anderen Aktion aufgefordert
   (1) »Warten Sie ab. Nächste Woche mehr«
   (2) »Schicken Sie heute Ihre Berechtigungskarte ab«
   (3) »Rufen Sie an, wenn Sie einer der wenigen sein wollen, die noch in den Genuß kommen.«

Mit dem enormen Erfolg rechnete keiner der Beteiligten, auch ich als Initiator nicht. Die Rücklaufquoten lagen – von Gebiet zu Gebiet verschieden – zwischen 8 und 15 %.

Um diese Methode zu verdeutlichen, zeigen wir mit einem anderen Praxisfall auf der kommenden Seite das System. Um Übersichtlichkeit zu bekommen, haben wir auf die Ausformulierung der Sätze verzichtet und geben jeweils nur den Inhalt in Stichworten an.

2.4 Welche Briefbeilagen können die Antwortbereitschaft der Angesprochenen steigern?

Hier müssen wir wieder klar unterscheiden: Wollen wir einen Gesprächstermin bekommen oder gleich unser Produkt verkaufen?

Sofern wir unser Produkt verkaufen wollen, müssen wir natürlich ausführliche und eindrucksvolle Prospekte oder Muster beilegen, damit dem Kunden die Entscheidung für den Kauf leicht fällt.

In diesem Kapitel gehen wir jedoch etwas mehr darauf ein, wie wir mit Hilfe von Beilagen noch eher zu einem Besuchstermin kom-

Fall 7 Werbung für das Engagement an Freizeiteinrichtungen

	Brief 1		Brief 2		Brief 3
Inhalt	**Lohnt es sich, in einem schnell wachsenden Markt zu investieren?** Bilder von Freizeiteinrichtungen Berichte über Zuwachsraten und Gewinnchancen	Abstand 3 Tage	**Sind 20 realisierte und wirtschaftlich arbeitende Objekte Sicherheit genug?** Bilder von Tennis-Centers und Freizeitparks mit Besucherandrang, Besuchern an der Kasse, Rummel, Automaten mit Spielern. Information über zu erwartende Verdienstchancen in 5 Jahren	Abstand 8 Tage	**Wäre eine Netto-Verzinsung Ihres Kapitals von 12 % genug?** Bilder von 2 Berechnungsmodellen, die gerade dann aufhören, wo es am interessantesten wird. Aufstellung der interessantesten Vorteile: • Steuervorteil • Rentabilität • Sicherheit • persönlicher Nutzen
Argumentationskette	Es wird immer mehr Geld in die Freizeit gesteckt, also muß hier was zu verdienen sein		Wollen Sie mitverdienen, dort wo die Zuwachsraten höchstinteressant sind?		Logischer Schluß: Nur eine Beteiligung am Freizeitmarkt ist sinnvoll
Ziel des Briefes	Nachdenken Neugierde wecken		Interesse wecken Sich damit beschäftigen		Höchstes Interesse Beteiligungs-/Kauflust
Reforderte Reaktion des Lesers	Setzten Sie auf „gewinnende Pferde" Wie geht das? In 8 Tagen erfahren Sie mehr		Fordern Sie ihre Broschüre ab oder eine telefonische Beratung		Rufen Sie an, vereinbaren Sie einen Termin Verlangen Sie die Berechnung Ihrer persönlichen Gewinnsituation
Beilage	Zeitungsartikel über den Freizeitmarkt		Graphiken des Wachstums von solchen Einrichtungen im Vergleich zu anderen Branchen		Antwortkarte/Abrufkarte

men oder den Kunden leichter auf eine Messe bringen. Wir wollen also Interesse für uns, unsere Produkte oder unser Unternehmen wecken.

Vollkommen verfehlt ist es dann, wenn wir unseren Briefen gleich ausführlichstes Prospektmaterial beilegen, denn damit könnte ja ein Besuch überflüssig werden.

Es gilt Informationen beizulegen, die die Erwartungshaltung steigern. Wir müssen also *weniger* informieren und *mehr* interessieren, also Neugierde wecken.

Fall 1

Eine *Elektrowerkzeugfirma* stellte auf der Eisenwarenmesse in Köln eine völlig *neue Produktgeneration* vor. Sie wollte, daß möglichst viele Händler auf den Messestand kommen, um sich diese anzusehen, sich beraten zu lassen und gleich zu ordern.

Hätte man, wie üblich, einen Prospekt der Messeeinladung beigelegt, der die neue Produktgeneration zeigt und erklärt, wäre ein Besuch des Standes für die angesprochenen Händler vielfach überflüssig geworden.

Deswegen bildete man auf der Beilage nur einen Ausschnitt des neuen Produktes ab, den Schalthebel. Die Aussage im Prospekt war dann

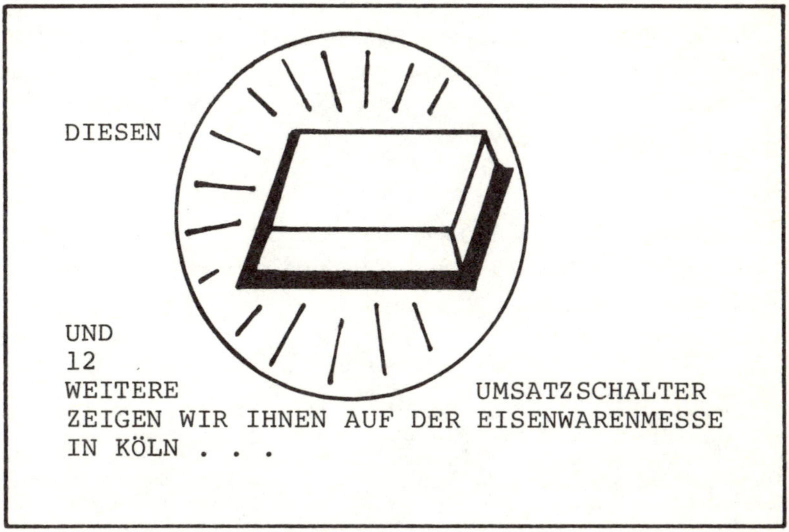

Der Stand dieser Firma war über die ganze Messedauer brechend voll, man war mit den Aufträgen mehr als nur zufrieden.

Fall 2

Ein *Finanzberater* in Köln wollte seine Erfolge beim Verkaufen von Beteiligungen an *Ölexplorationsgesellschaften** verbessern. Um bei potentiellen Kunden ins Gespräch zu kommen, schickte er einen Leuchtstab** als Beilage seines Briefes. Im Brief schrieb er dann:

> Herr Kunde,
>
> sollte bei Ihnen mal das Licht ausgehen, nehmen Sie diesen Stab in die Hand, schütteln ihn fest, brechen ihn an und reißen die Verpackung ab. Sie haben dann Licht für 4 Stunden.
>
> Damit die Energie bei Ihnen nie ausgeht: Rufen Sie mich an!
>
> Ihr
>
> Vetter Hans
>
> Vetter Hans

Neben Originalität muß man diesem Kollegen auch Kreativität bescheinigen. Die Gedankenassoziation von Licht zu Energie und dann zu einer Beteiligung an einer Ölexplorationsgesellschaft ist schon faszinierend. Entsprechend sein Erfolg.

Fall 3

Speditionen haben das Problem der *positiven Differenzierung* vom Wettbewerb. Die Kunden sagen »Alle sind in der Lage, irgendwo eine Kiste zu vergessen«.

* Eine Ölexplorationsgesellschaft sucht und bohrt nach Öl oder Gas und beutet dann den Fund aus, sofern dieser wirtschaftlich zu fördern ist.

** Hier handelt es sich um einen Stab, der in Aluminiumfolie wasser-, luft- und lichtdicht verpackt ist. Dieser Stab ist mit einer Phosphorflüssigkeit gefüllt. Schüttelt man den Stab fest in der Hülle, bricht man den Glasschutz und reißt dann die Hülle auf, leuchtet der Stab so hell wie eine Kerze für ungefähr vier Stunden. Dieses Produkt wurde für Taucher und Bergsteiger in den USA entwickelt.

Deswegen legte der findige Marketingleiter einer Düsseldorfer Spedition seinem Brief eine kleine viereckige Schachtel bei. Im Brief fragte er den Empfänger, der nicht Kunde war:

> "Was meinen Sie,
> gibt es runde Würfel?
> Sicherlich haben Sie recht, streng
> geometrisch betrachtet gibt es so etwas nicht.
> Aber wenn es so etwas gäbe, das wäre doch eine
> unkonventionelle Lösung.
> Öffnen Sie deswegen die viereckige Schachtel, dort
> finden Sie den "Runden Würfel".
> Unkonventionell?
> Stimmt, genauso unkonventionell wie die Zusammenarbeit
> mit der VEREINIGTEN TRANSPORTGESELLSCHAFT:
> Stellen Sie uns auf die Probe. Überzeugen Sie sich
> von der Leistungsfähigkeit.
> Wir rufen an, um einen ersten Gesprächstermin zu
> vereinbaren.

Und den »runden Würfel« gibt es tatsächlich, wie ihn unterstehendes Bild zeigt.

Der Erfolg der Aktion war wohl darin begründet, daß nur wenige Empfänger ihn kannten und sich deswegen lange mit ihm beschäftigten. So war dann die telefonische Terminvereinbarung sehr leicht.

Fall 4

Etwas riskanter war der Versuch einer *Baugerätefirma*, die ihrem Brief ein *Puzzle* beilegte.

Nun ist dies vielleicht noch nicht mal etwas Außergewöhnliches. Nur, bei diesem Puzzle fehlte ein Teil, und zwar genau das Teil, auf dem das Firmenemblem stand.

Bei dem anschließenden Anruf stellte entweder der Kunde oder der Berater diesen vermeintlichen Fehler fest.

Verkäufer *»Sie haben unseren Brief mit dem Puzzle bekommen?«*
Kunde *»Ja, aber da fehlt ja ein Teil.«*
Verkäufer *»Deswegen rufe ich an. Ich bringe es Ihnen, wann paßt Ihnen der Termin am besten, Dienstag ...«*

Beim Besuch dann brachte der Verkäufer das fehlende Teil mit überzeugender Manier und legte es mit den Worten auf den Tisch

Verkäufer *»Sehen Sie, das ist genau das was Sie brauchen.«*
Kunde *»Stimmt, das fehlte.«*
Verkäufer *»Was Ihnen aber auch fehlt, ist ein LORRAINE-Radlader ...«*

Wir wollen hier betonen, daß es verständlich war, daß nicht alle Verkäufer von dieser Aktion begeistert waren. Und nur die Kollegen, die von Anfang an Flamme fingen, konnten auch beim Kunden überzeugend das fehlende Puzzle-Teil herausholen und fanden auch die passenden verbindlichen Worte.

Fall 5

Weil wir schon beim fehlenden Teil sind.

Kennen Sie die Idee vom *»halben Geschenk«?*

Was werden wir tun, wenn wir beispielsweise einen Manschettenknopf mit dem Hinweis bekommen, »Nächste Woche gibt es den nächsten«? Natürlich gehen wir nächste Woche wieder hin.

Ein zugesandter Schlüssel, der auf der Messe in den dort stehenden Tresor paßt, ist eine Art »halbes Geschenk«. Es wird nur tragisch, wenn der Schlüssel ausgerechnet beim besten und größten Kunden nicht paßt.

Schenken wir dem Kunden ein *Check-Heft* (nicht Scheckheft) das ihn berechtigt, die *noch* zu kaufende Maschine zu günstigen Konditionen warten zu lassen.

Fall 6

Ein Reutlinger *Vermögensberater* schickte seinem potentiellen Kunden ein Schächtelchen mit der Aufschrift »Mini-Fiskal«, Untertitel »Zur Behandlung fiskalischer Schröpfungszustände«.

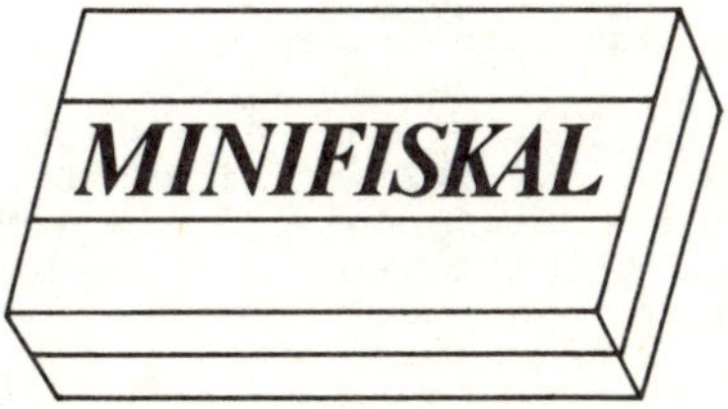

Öffneten die Empfänger das Schächtelchen, fanden Sie darin

- ein Bonbon
- eine Anwendungsanleitung
- einen Antwortzettel
- einen Briefumschlag

Einige Ausschnitte aus der Anwendungsanleitung:

Wichtige Information, aufmerksam lesen!

MINIFISKAL — Das besondere Markenzeichen

Eigenschaften und Anwendungsgebiete

Der Steuerzahler heute - bereits durch den Beruf stark belastet - sieht sich ständig steigenden Anforderungen seitens des Fiskus gegenüber. Umso dankbarer findet er es, wenn ihm diese Last erleichtert wird.

Je nach Konstitution kann der Patient durch entsprechende Auswahl der Wirkstoffe eingestellt werden. Eindrucksvoll und nachhaltig wirkt die Kombinationstherapie bei folgenden Beschwerden:

- Chronische Budgetüberbelastung
- Hitzewallungen bei Steuervorauszahlungen
- Mangelerscheinungen des Bankkontos wegen Steuernachzahlungen
- Hohes Versorgungsrisiko

Zusammensetzung, Wirkungsweise und Dosierung

Kurzfassung: Vorschläge für Immobilien, Berlin-Darlehen, Beteiligungen, Versicherungen

Darreichungsform: Abschlußsummen-Vorschlag mit bedeutendstem Vorteil

Besonderer Hinweis

Die Anwendung von MINIFISKAL ist besonders indiziert rechtzeitig vor dem nächsten Steuertermin (10.3., 10.6., 10.9. und 10.12.)
Bitte fordern Sie Hausbesuch an (Antwortumschlag beigefügt).

Fall 7

Eine *Kopiergerätefirma* legte ihren Briefen ein Streichholzbriefchen bei mit der Aufschrift:

»Fangen Sie Feuer ...«

Fall 8

Ein *Sonnenstudio* warb per Brief um Kunden und legte dabei ein kleines Schirmchen dazu, wie wir es von Eisbomben her kennen. Im Text dann

> Warum wird der Sonnenschein auf Eis gelegt?
>
> Weil wir so wenig Sonne haben.
> Düsseldorf hat im Jahresdurchschnitt etwa 1600 Sonnenstunden - und das ist gewiß nicht viel.
>
> Sonnenschirm: überflüssig.
> Bedarf an Sonne: dringender denn je.
>
> Angebot für UVA-Bestrahlung
>
> Rufen Sie gleich mal durch, reservieren Sie Ihren Platz an der Sonne. Für Sie als Mitglied des Meeting-Clubs, haben wir immer einen günstigen Termin!
>
> Mit freundlichen Grüßen
>
> Marianne
>
> P.S.
> Bitte bringen Sie den Sonnenschirm mit.
> Eine besondere Art von Überraschung wartet auf Sie.

Fall 9

Ein *Electronic-Händler* legte seinen Briefen zwei Dias von seinem neu eröffneten Geschäft bei.

Damit die Dias auch gleich betrachtet werden konnten, war als Clou noch ein faltbarer Diabetrachter dabei, der so klein ist, daß er zusammengefaltet in jede Hemdentasche paßt.

Einige Ausschnitte aus dem Brief:

»Nehmen Sie den Diabetrachter und falten Sie ihn auseinander. Betrachten Sie die Dias, indem Sie diese von oben einschieben.

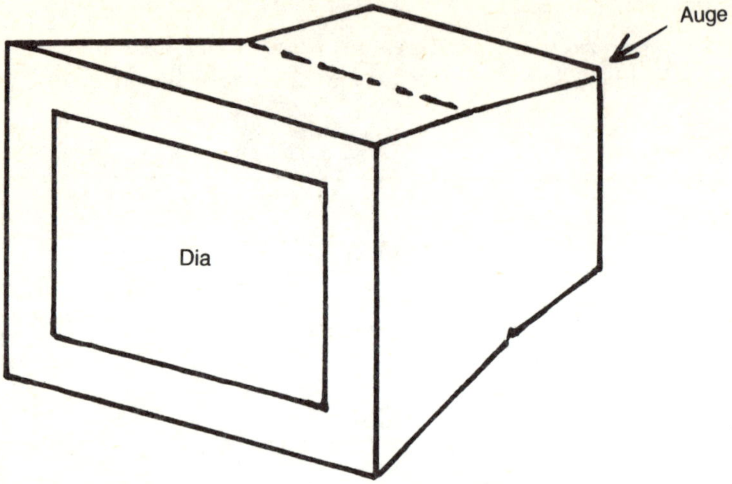

Merken Sie sich unser Schaufenster in der Hindenburgstraße. Denn wöchentlich gibt es ein begrenztes Sonderangebot, das Sie interessieren dürfte.«

Wie ich hörte, geht es diesem Händler sehr gut.

Zusammenfassung

5 Goldene Regeln

1. Finden wir Beilagen, die das Interesse noch steigern.
2. Wählen wir nur Beilagen aus, die eine Vorstellungsverknüpfung zum Angebot bzw. Nutzen zulassen.
3. Legen wir Dinge bei, mit denen sich der Kunde längere Zeit gedanklich auseinandersetzt.
4. Legen wir nur Dinge bei, die entweder allein oder in Verbindung mit dem Brief eine Reaktion auslösen.
5. Denken wir auch an das Porto. Lassen wir uns im Zweifel vorher von der Post beraten.

3. Kunden per Telefon gewinnen

3.1 Die Bedeutung des Telefons bei der Neukundenwerbung

Das Telefon, als Erfindung gerade 100 Jahre alt, ist aus unserer Geschäftswelt nicht mehr wegzudenken. Stellen wir uns nur einmal vor, wir müßten alle Wege, die wir heute per Telefon überbrücken, selbst zu Fuß gehen. Einfach undenkbar.

In den Vereinigten Staaten von Amerika hat das Telefon eine noch viel größere Bedeutung. Mit ein Grund dafür ist, daß dort der Kunde unter bestimmten technischen Voraussetzungen den gewünschten Lieferanten auf dessen Kosten anrufen kann. Es wird geschätzt, daß dort Hausfrauen etwa das achtfache dessen am Telefon bestellen, was eine europäische Frau heute per Telefon tätigt. Die amerikanische Hausfrau läßt sich beliefern, obwohl sie den Supermarkt ebenfalls kennt.

Wahrscheinlich dauert es aber noch zwei bis drei Jahre, bis wir auch in Westdeutschland ebenfalls dieses wählbare System haben, wobei der Angerufene die Kosten trägt, sofern er damit einverstanden ist.

Ein anderer Grund für die größere Beliebtheit des Telefons in den USA ist natürlich in den großen Strecken, die man dort zu überwinden hat, zu suchen.

Das Telefon bringt eine ganze Reihe an Bequemlichkeiten mit sich. Man kann ruhig sitzend auf seinem Sessel kreuz und quer in seinem Gebiet »reisend« telefonieren, muß also keine bestimmte rationale »Tour« beachten.

Aber auch von der Kostenseite aus betrachtet ist das Telefon zumindest im Vergleich zum Besuch relativ günstig.

Wo liegen für uns die Hauptschwierigkeiten des Telefons? Warum wird das Telefon nicht immer gern eingesetzt?

(1) Hemmungen, das klingelnde Telefon abzunehmen

Wir kennen die Situation aus der Zeit, wo wir die ersten Berufserfahrungen sammelten. In der Abteilung klingelte das Telefon. Einige Kollegen und wir selbst waren in der Lage den Hörer abzuheben. Doch, man schaut sich gegenseitig an, einer verläßt den Raum, der andere sagt, daß Oskar dran sei, abzuheben.

Warum greift nicht jeder gleich freudestrahlend zu? Warum reißen wir uns nicht darum, den Anruf entgegenzunehmen? Wir sind doch sonst im allgemeinen so neugierig? Wenn ein Brief kommt, macht man ihn ja auch sofort auf.

Nun, der Grund für die *Hemmungen dem klingelnden Telefon* gegenüber sitzt tief. Wir kennen den Anrufer nicht oder noch nicht. Und einer unbekannten Situation treten wir mit etwas Unbehagen entgegen.

(2) Hemmungen, jemanden Unbekannten anzurufen

Wir kennen seine Adresse aus dem Telefonbuch. Wir sollen anrufen. Wie wird er sich wohl verhalten? Ist er mürrisch oder freundlich? Weiß ich das Richtige zu sagen? Oder komme ich ins Stottern?

Wird er mich gar abweisen, mich sogar beleidigen? Und, verkrafte ich das dann?

Also, lasse ich es lieber gleich bleiben!

Nur sollten wir wissen, daß der Angerufene die gleichen Hemmungen hat. Auch er sieht uns nicht, kann unsere »Stärke« also im voraus nicht einschätzen.

(3) »Telefonieren kostet Geld, ist teuer!«

Schon von der Jugend an wird uns eingebleut: Fasse Dich kurz! Wir wissen, daß die Kontrolle der Telefongebühren in vielen Betrieben immer wieder ein heißes Thema ist, an dem sich die Gemüter erhitzen. Das kommt wohl auch daher, daß man diese so genau kontrollieren kann*.

* In manchen Betrieben ist jeder Telefonapparat, mit dem man Ferngespräche führen kann, an einen Computer angeschlossen, der automatisch die gewählte Nummer speichert, die Telefongebühren berechnet und periodisch ausdruckt. An und für sich kann diese Anlage zur Steuerung und Eigenkontrolle nur empfohlen werden.

Klar, eine ausgewogene Zeitökonomie ist sehr wichtig. Zumal, wenn wir wissen, daß ein Gespräch nicht freundlicher und herzlicher wird, wenn es zu lange dauert.

Aber, wenn wir davon ausgehen, daß ein Besuch eines Reisenden etwa 100 Mark kostet, dann können wir dafür lange telefonieren ... und mit vielen Kunden.

(4) Der andere fühlt sich durch einen Anruf gestört

Jede Unterbrechung eines Arbeitsflusses ist eine Störung. Egal, ob wir vom Portier aus anrufen lassen, der Kunde durch seine Sekretärin etwas gefragt wird oder ob wir anrufen. Das wirkliche Problem entsteht aber erst dadurch, daß wir auf die Störung hinweisen.

»Entschuldigen Sie, daß ich störe ...«

»Ich wollte Sie nur kurz stören«

»Störe ich?«

»Pardon, daß ich so hereinplatze«

Jetzt erst fühlt sich der Angesprochene wirklich gestört, wird verständlicherweise mürrisch und ungeduldig. Dieses Benehmen zeigt man aber nur einem Menschen gegenüber, den man nicht mag, einem Störenfried beispielsweise.

Drehen wir den Spieß um, indem wir einfach nicht darüber reden, sondern etwas Positives daraus machen.

(5) Wir können nichts zeigen, sehen, schmecken, riechen und fühlen

Nichts zu sehen, wo man eigentlich etwas sehen müßte, versetzt viele Menschen in Angst und Schrecken. Etwas Unsichtbares kann unheimlich werden.

Wir können unsere Muster nicht zeigen, unsere Haltung und unser Aussehen kann den Kunden nicht beeindrucken. Ein Persönlichkeitsverlust, der dann auch noch ausschließlich mit der Sprache und Stimme kompensiert werden muß.

Dieser Nachteil, das Fehlen der optischen Dimension, hat schon zu vielen Fehleinschätzungen geführt.

Männer wurden aufgrund ihrer tiefen Stimme als Hüne gesehen, in Wahrheit waren sie von kleinerem Wuchs. Frauen mit charmanten Stimmen vermittelten den Eindruck einer 20jährigen Blondine, das erste Rendezvous klärte auf.

(6) Die rechtliche Unsicherheit

»Telefonverkauf ist bei uns doch verboten«, höre ich auf meinen Verkaufsseminaren immer wieder. Womit man ein generelles Verbot meint. Doch hier ist der Bogen zu weit gespannt. Grundsätzlich ist Telefonverkauf erlaubt, davon können wir ausgehen. Es gibt lediglich einige Ausnahmen.

Wir brauchen keinerlei Bedenken haben, wenn wir Firmen oder Privatleute anrufen, mit denen eine Geschäftsbeziehung besteht. Also solche, die schon gekauft haben, oder auch nur durch die Nennung ihrer Adresse (Visitenkarte, Messebesuch usw.) ihre Bereitschaft zur Kontaktaufnahme bekundet haben.

Untersagt ist lediglich das unerbetene telefonische Anwerben von *Privatleuten,* die kein Gewerbe betreiben!

Also ist Telefon-Akquisition bei Gewerbetreibenden erlaubt.

Wie ist nun bei Privatpersonen vorzugehen, wenn diese für unser Geschäft von Bedeutung sind?

Wir müssen die Bereitschaft zur Kontaktanbahnung und Aufnahme der Geschäftsbeziehung erzielen. Dazu eignet sich Direktwerbung mit einer entsprechend gestalteten Antwortkarte.

Aber jetzt zu den positiven Seiten des Telefons.

DEM TELEFON GEHÖRT DIE ZUKUNFT!

1. Vorteil

Die Zahl der täglich möglichen Kontakte

Ein durchschnittlicher Reisender schafft pro Tag etwa 5–6 Besuche*.

Wenn wir nun davon ausgehen, daß ein »durchschnittliches« Telefonat mit Kunden etwa 5 Minuten plus eine Minute Vorbereitung in Anspruch nimmt, dann sind das pro Stunde bereits 10 Gespräche. Bei 6 konzentrierten Arbeitsstunden (mehr sind bei reinem Telefon-Verkauf kaum zu schaffen) kommen wir also auf stolze 60 Gespräche, die wir jetzt freiwillig auf 50 reduzieren, Pausen und Administration sind ja auch nötig.

Am Telefon schaffen wir also das *10fache* der Kontakte pro Tag.

* Natürlich liegen die Zahlen von Branche zu Branche sehr unterschiedlich. Der Markenartikelreisende kann auf 15 Besuche, der Anzeigenverkäufer für Telefonbücher bis auf 35 Besuche kommen.

2. Vorteil

Die Kosten des Telefonierens

Im ungünstigsten Fall haben wir ein Ferngespräch nach über 100 Kilometer Entfernung (Zone IV), dann kostet ein 5minütiges Telefonat genau 1 Mark 15.

Vergleichen wir dies mit einem Besuch durch einen reisenden Verkäufer, dann kommen wir auf frappierende Ergebnisse:

Kostenvergleich Reisender zu Telefon-Verkäufer

	Reisender	Telefon-Verkäufer
Gehalt + Provisionen	4.000,—	3.000,—
Sozialabgaben	2.800,—	2.100,—
Spesen, Bewirtung	1.000,—	—,—
Pkw / Telefon	1.000,—	1.000,—
	8.800,—	7.100,—
Besuche/Telefonate		
– pro Tag	6	50
– pro Monat (20 Tage)	120	1.000
Kosten pro Kontakt	73,33	7,10

Das Telefon kostet also (grob gerechnet) etwa ein Zehntel des Besuches.

Übersicht über die Telefongebühren

Im Zonenverkehrsbereich (Ferngespräche) können wir für DM 0,23 (Kosten einer Einheit) unterschiedlich lange telefonieren.

Zone	6–18 Uhr Taggebühr Sekunden
I bis 25 km	45
II bis 50 km	20
III bis 100 km	12

3. Vorteil

Die Schnelligkeit und Wendigkeit

Einen Kunden zu besuchen erfordert immer Anreise- und Abreisezeiten. Dazu müssen wir eine Route fahren, wobei wir versuchen individuelle Kundenbesuche zu verbinden. Am Telefon können wir kreuz und quer, von Nord nach Süd, von Ost nach West, in kürzester Zeit große Strecken überwinden.

Deswegen können wir mit dem Telefon viel leichter und schneller die wirklich potentesten Kunden ansprechen.

4. Vorteil

Die Demonstration unseres Services

Verspricht ein Verkäufer an der Front etwas, was er erst dem Stammhaus vortragen muß, kommt es zwischen Versprechen und deren Einlösung zu einer unvermeidbaren zeitlichen Verzögerung. Diese können wir am Telefon äußerst gering halten. Sofort nach Eingehen einer Überprüfung oder einer Zusage können wir die Realisierung hausintern prüfen, diese veranlassen und dem Kunden gleich wieder die »Vollzugsmeldung« per Telefon überreichen.

Damit demonstrieren wir unsere Zuverlässigkeit.

Und wer zuverlässig ist, der bekommt Vertrauen.

Weil dieses Vertrauen am Telefon nicht von vornherein gegeben ist, müssen wir es durch demonstrative Zuverlässigkeit schaffen. Wenn ein Kunde kurz nacheinander zweimal angerufen wird, erhöht sich zudem noch das Gefühl der menschlichen Sympathie.

5. Vorteil

Gute Beeinflussungsmöglichkeit und sofortige Reaktion

Im Vergleich zum Brief, bei dem wir immer warten müssen, können wir am Telefon direkt beeinflussen und erhalten eine sofortige Antwort. Wir müssen am Telefon noch mehr unsere Fähigkeiten ausbauen, andere Menschen für uns zu gewinnen.

Diesem Anliegen sind die beiden kommenden Kapitel gewidmet.

6. Vorteil

Bessere Vorbereitungsmöglichkeiten

Die Tatsache, daß der Angerufene vorher nichts von seinem Glück weiß, verschafft uns den Vorbereitungsvorteil. Rufen wir bitte nie an, ohne uns vorher Gedanken über Zielsetzung, Inhalt und Argumente unseres Gespräches gemacht zu haben.

Diese schreiben wir uns auf einen Stichwortzettel, den wir ruhig vor uns hinlegen können.

Dieser *Stichwortzettel,* an und für sich eine banale Empfehlung, hat enorme Vorteile für uns selbst:

1. Wir werden zielstrebiger
2. Wir werden vollständiger
3. Wir werden ruhiger
4. Wir werden sicherer
5. Wir werden kürzer
6. Wir werden schlagfertiger
7. Wir werden konzentrierter
8. Wir werden initiativer
9. Wir werden verständlicher
10. Wir werden überzeugender

Die 12 Chancen bei der Neukunden-Gewinnung durch das Telefon

1. Der Telefongebrauch wird weiter steigen, damit nimmt auch die Vertrautheit und die Selbstverständlichkeit des Telefons zu.
2. Hemmungen, jemanden anzurufen, legen wir ab durch gute Vorbereitung und die Vorstellung, daß der Angerufene genauso gehemmt sein wird.
3. Telefongebühren sind nur dann teuer, wenn wir unkonzentriert und zu lange den Kunden »beschwatzen«, anstatt ihn sicher und überzeugend zu gewinnen.
4. Eine freundliche Kontaktaufnahme, wobei wir unsere Stimmung auf den anderen übertragen, wird nicht als Störung empfunden.
5. Unsere Stimme muß das Fehlen einiger Empfindungen wie Sehen, Riechen, Fühlen überkompensieren.
6. Nur bei Privatleuten ohne Gewerbebetrieb gibt es gewisse Einschränkungen, nicht telefonisch zu werben.
7. Am Telefon können wir 10mal soviel Kontakte pro Tag herstellen wie per Besuch.
8. Das Telefon ist, richtig eingesetzt, preisgünstiger als der Besuch. Es macht nur rund 10 % der Besuchskosten aus.
9. Das Telefon ist schnell und flexibel einsetzbar, eine Reise weg vom Arbeitsplatz ist nicht erforderlich.
10. Am Telefon läßt sich Service perfekt demonstrieren.
11. Am Telefon kann ich (im Vergleich zum Brief) sofort eine Reaktion des Kunden bekommen.
12. Das A & O ist allerdings die Vorbereitung. Das Telefongespräch muß besser vorbereitet werden als ein Besuch.

3.2 Die erfolgreiche telefonische Terminvereinbarung

Einen Besuchstermin bei einem zufriedenen Kunden zu bekommen ist kein Kunststück. Jedoch unerbeten, vielleicht sogar noch unerwünscht einen unbekannten potentiellen Kunden anzurufen, und dann noch einen Termin für einen Besuch zu vereinbaren, verlangt schon einige Fähigkeiten.

Nichts ist leichter für den Angerufenen als uns abzuwimmeln, mit Scheinargumenten einen Besuch abzuwehren. Einen Hausierer dagegen von der Tür zu weisen, dürfte viel schwerer sein, denn den sehen wir ja.

Also gilt es bei der telefonischen Terminvereinbarung darauf vorbereitet zu sein.

Was sind im allgemeinen die Grundfehler, die bei einer Terminvereinbarung gemacht werden?

1. Unklare Aussprache

Nicht nur, daß der Angerufene nicht unseren Namen versteht, nein, auch bei allerbester Konzentration versteht er nur Fetzen unserer Mitteilung.

Kein Wunder, wenn da kein Termin zustande kommt.

2. Keine Vorbereitung

Ohne Vorbereitung brauchen wir für unser Anliegen viel länger, drehen uns im Gespräch um uns selbst, kurz, wir wirken unkonzentriert und fahrig.

3. Argumentation aus dem Handgelenk

Eine lasche Besuchsbegründung muß zur Ablehnung unseres Wunsches führen, denn flapsige Kunden gibt es nur wenig. Bei der improvisierten Gesprächsführung rutschen uns viel zu viel Formulierungen heraus, die angreifbar sind. Und der Kunde sucht Angriffsflächen, er will ja keinen Termin geben.

4. Unterlagen liegen nicht sortiert auf dem Schreibtisch

Welchen Eindruck muß wohl der Kunde gewinnen, wenn wir bei einer Frage erst umständlich Unterlagen suchen müssen? Er merkt die Verzögerung zweifelsohne und wird sie als Unsicherheit unsererseits registrieren.

5. Unklare, abwertende Vorstellung

Ein Nobody, ein Niemand, ist ein Unbekannter. Warum stellen

wir uns dann zu schnell, zu kurz, zu nebensächlich vor. Der Kunde will es mit jemandem »Wichtigen« zu tun haben.

Und eine undeutliche Vorstellung ist gleich noch eine

6. Kunden-Abwertung,

wobei dem Kunden vielleicht noch gesagt wird, daß »man sowieso in seiner Nähe sei« und »man gerne kurz einmal vorbeikommen möchte«.

Dabei soll schon mal ein Kunde gesagt haben, der Anrufer könne jederzeit *vorbei* kommen, sofern er *nur vorbei* komme.

7. Unklare Formulierungen / Zu lange Sätze

Bei zu langen Sätzen verliert der Kunde die Aufmerksamkeit, er weiß nicht mehr, was am Anfang gesagt wurde. Logisch, daß dann kein Interesse am Besuchstermin entstehen kann.

8. Verlegenheitsbegründungen

sind eindeutig eine Selbst- und eine Kundenabwertung. Hier begründen wir den Besuchswunsch aus einer Verlegenheit heraus: »Ich hätte da noch Zeit, meinen Sie nicht, daß wir uns da mal treffen könnten.« Ebenso schlecht ist »Ich wollte mich bei Ihnen mal vorstellen« oder »Es macht mir nichts aus, auch bei Ihnen reinzuschauen«.

9. Auf Ein- und Vorwände keine Antwort parat haben

Wir wissen, daß die Zahl der Einwände am Telefon, die gegen einen Besuchstermin sprechen könnten, sehr begrenzt sind. Je nach Branche sind es nur 5 bis 7 Einwände. Dann kann es nicht angehen, daß wir darauf entweder keine Antwort kennen oder diese nicht perfekt beherrschen (. . . fast auswendig gelernt haben!).

10. Keine Zielstrebigkeit

bei der Terminvereinbarung, dem Vorschlag für den Besuchstermin. »Herr Kunde, ich komme natürlich ganz wann es Ihnen paßt, ich richte mich hier ganz nach Ihnen. Sagen Sie mir, wann würde es Ihnen eventuell denn passen.«

Ja, so kann nur ein Termin zustande kommen, wenn der Kunde sowieso den Wunsch hatte.

Nun ist es immer leichter, zu sagen wie es *nicht* geht, aber sehr schwer fällt es uns zu sagen, wie es *wohl* geht. Deswegen besprechen wir hier sehr intensiv die Methodik, was wir tun müssen, um unsere Erfolge bei der Terminvereinbarungstechnik laufend zu steigern.

Grundlage Nr. 1 einer erfolgreichen Terminvereinbarungs-Technik

Exzellente Vorbereitung

Die Verhandlungserfolge der Asiaten sind in erster Linie Vorbereitungserfolge. Sie sind einfach besser vorbereitet als ihr Gesprächspartner. Das schafft eine Art Heimvorteil, wobei der andere »Federn lassen« muß.

Die telefonische Terminvereinbarung ist an und für sich ein sehr kurzes Gespräch. Es ist einfach zu überschauen, der Ablauf ist meist ähnlich, wenn nicht gar gleich.

Deswegen eignet sich dieses Gespräch wie kein zweites innerhalb der Verkaufspsychologie zum Trainieren.

Trainieren wir doch alles was in den kommenden 10 Grundlagen für erfolgreiche Terminvereinbarung steht, es wird unser Vorteil sein. Termine zu vereinbaren macht dann Spaß, weil wir gewisse Zusammenhänge verstehen und damit Erfolg haben.

Was müssen wir alles vorbereiten?

1. Wen wollen wir anrufen?
2. Wie melden wir uns?
3. Wie werten wir ihn auf?
4. Wie begründen wir unseren Anruf?
5. Wie schaffen wir Neugierde für den Besuch?
6. Wie argumentieren wir für den Besuch?
7. Wie schlagen wir den Termin vor?
8. Wie beantworten wir die zu erwartenden Einwände?
9. Wie schließen wir das Gespräch ab?
10. Wie bereiten wir den Besuch kurz noch vor?

Die Koordination der Termine mit der Reiseplanung:

Zur Vorbereitung gehört natürlich auch, daß wir uns vor Beginn der eigentlichen Telefonaktion mit der Straßenkarte auseinandersetzen. Mit unterschiedlichen Dekorationsnadeln (Größe und Farbe) sollten wir die alternativen Wunschstrecken abstecken. Ein farbiger Faden, um die Nadeln gewickelt, macht diese dann optisch sehr schön deutlich.

Beim Telefonieren schauen wir dann während der eigentlichen Terminabsprache auf unsere Wunschtour, können deswegen dem Kunden gleich den besten Termin vorschlagen.

So vermeiden wir auch unnötige Reisewege, können pro Tag mehr Termine wahrnehmen.

Arbeiten *ohne System* heißt, Erfolge dem *Zufall* überlassen.

Grundlage Nr. 2 einer erfolgreichen Terminvereinbarungs-Technik

Zielsetzung

Machen wir uns das eigentliche Ziel unserer Bemühungen optisch sichtbar, schreiben wir auf ein Tischschildchen mit großer Schrift das Wort

TERMIN

Während des Gespräches sticht dieses ins Auge, bringt zusätzliche Verpflichtungen:

- so früh wie möglich den Terminvorschlag zu machen,
- den Terminvorschlag konsequent zu verfolgen,
- hartnäckig zu bleiben, was den Termin anbelangt.

Ein Ziel muß man visuell darstellen, sonst haben wir auch für uns selbst allzu schnell glaubwürdige Antworten bei Versagen parat, die aber nichts anderes als Entschuldigungen für eigene Unfähigkeit sind.

Grundlage Nr. 3 einer erfolgreichen Terminvereinbarungs-Technik

Telefon-Visitenkarte

Wenn wir zum Kunden kommen, überreichen wir unsere Visitenkarte. Sie ist eine Art Ausweis, Legitimation und zugleich ein Spiegelbild unserer Leistungsfähigkeit. Mit der Visitenkarte wird oft ausgedrückt, was man sein und darstellen möchte.

Am Telefon muß unsere Sprache, unsere Stimme, unsere Art mit

Menschen zu sprechen, die übertragene Bedeutung einer Visitenkarte bekommen. Was sind dafür die 10 wichtigsten Punkte:

1. Unser Schreibtisch soll so aufgeräumt sein, wie er uns selbst Spaß macht.

2. Etwas Nettes sollte auf dem Schreibtisch stehen, was uns selbst in gute Stimmung versetzt. Denkbar sind Blumen, Bilder von den Kindern, ein Gag, Motto des Tages (z. B. Lache und Du gewinnst die Welt).

3. Versetzen wir uns in eine *positive Stimmung*. Denken wir an einige Erfolge, rufen wir kurz vorher einen immer gut gelaunten Menschen an, denken wir an einen guten Witz, pfeifen wir ein schwungvolles Lied. Denn gute Stimmung überträgt sich auf unsere Stimme, und mit unserer Stimme erzeugen wir Stimmung. Denn *Stimmung* kommt von *Stimme*. So wie wir gestimmt sind, stimmen wir den Kunden auf uns ein.

4. *Lächle*, das kann man hören. Genauso wie man auch hören kann, ob wir einen Kaugummi im Mund haben oder eine Zigarette rauchen. Lachen wir doch ein Bild auf dem Schreibtisch an. Es kann ja das unserer eigenen Kinder (wenn wir die haben) sein.

5. *Körper* aufrecht, unsere Konzentration nimmt zu, unsere Ausdruckskraft ebenfalls. Ich habe noch keinen wirklich guten Sänger (mit guter Stimme) gehört, der zusammengekauert auch noch gut singen konnte.

6. *Vor dem Wählen* höchste Konzentration (wie ein Hochspringer), kurz die *Einleitung* nochmal gedanklich (oder leicht murmelnd, wenn wir allein sind, laut sprechend) vor uns hersagen.

7. *Grüßen wir begeisternd*, heben wir dabei die Stimme.

8. *Klar und akzentuiert sprechen*, dabei kommt die Stimme aus dem Kehlkopf heraus, die Lippen werden etwas mehr bewegt. Das

Klangvolumen ist vorne im Mund. Eine klare Stimme ist meist auch etwas heller und langsamer, wobei wir darauf achten müssen, daß, beeinflußt durch die verlangsamte Sprechgeschwindigkeit, wir nicht zu tief sprechen.

9. *Roten Faden als Stichwort-Manuskript vor sich auf dem Tisch.* Dadurch gewinnen wir Sicherheit. Aber Vorsicht, es dürfen nur Stichworte sein, die wir selbst in ganze Sätze formulieren. Haben wir Sätze schon fix und fertig vor uns liegen, dann lesen wir ja nur noch ab. Und so wirkt es dann auch.

10. *Einwand-Antwort-Katalog vorbereitet.* Für die 7 häufigsten Einwände sollte mindestens die passende Antwort ebenfalls schriftlich vor uns liegen. Das verschafft innere Ruhe und Selbstsicherheit. Diese überträgt sich wieder auf den Kunden. Den Termin zu bekommen fällt leichter.

Grundlage Nr. 4 einer erfolgreichen Terminvereinbarungs-Technik

Die selbst- und kundenaufwertende Vorstellung

Machen Sie sich einmal das Vergnügen, rufen Sie ein paar willkürlich ausgewählte Rufnummern an. Sie werden von 10 angerufenen Telefonhaltern, wenn es viel sind, bei zweien den Namen verstehen.

Und dem von uns angerufenen Interessenten geht es nicht anders, er versteht unseren Namen viel zu oft nicht.

Aber dieses Nichtverstehen ist nicht so unwichtig wie wir oft meinen. Während wir weitersprechen gibt es da eine unbeantwortete »Hörerfrage«. »Wer ist das denn?« Der Kunde überlegt mehr wer wir sind, anstelle uns zuzuhören. Seine Aufmerksamkeit ist also zwiegespalten.

Der andere Grund, der eine verständliche Vorstellung zwingend erforderlich macht ist der, daß der Kunde nur gern mit jemandem spricht, der wichtig ist.

*Un*deutliche Vorstellungen haben in der Regel folgende Kennzeichen:

- Der Name wird kurz, in einem Atemzug zwischen Begrüßung und Ansprache, gesagt; er hört sich etwa so an,
  »Guten Morgen, Missnert, ich rufe Sie an weil ...«
- Name vor der Begrüßung
  »Missnert, Guten Morgen Herr Kunde ...«
  damit wird der Name sogar verschluckt, denn das Gehör des Kunden nimmt an Empfangsschärfe nur langsam zu.
- Nach dem Namen die Erklärung, daß dies der Name sei.
  »Missnert ist mein Name«

Machen wir es doch besser!

Beispiel 1

»Guten Morgen, Herr Baldrian, hier spricht Haertel, »(Pause)« Haertel von DDP, Herr Baldrian, ...«

Beispiel 2

»Guten Tag, mein Name ist Danckert, Manfred Danckert, von Detroy, Danckert & Partner in Aumühle, ...«

Wir merken, hier steckt Pfiff dahinter, der Name hat überbrückende Worte vorgeschaltet, damit das Ohr des Kunden sich auf scharfen Empfang einstellt.

Beide Male hat der Anrufer seinen Namen sogar zweimal erwähnt, beide Male auf angenehme und unaufdringliche Weise. So prägt sich der Name besser ein, was er auch soll.

Eine nette Variation ist

Beispiel 3

»Grüß Gott, hier Schmechtle« ... Pause machend ... »Herr Kunde Sie kennen mich? Schmechtle aus Augsburg.«

»Nein«

»Schade, doch das läßt sich rasch ändern. Mein Name ist Peter Schmechtle, Sie haben sicher schon meine Post erhalten, die mit dem roten Pfeil, erinnern Sie sich?«

»Ah, ja, der sind sie, so!«

Der Vorteil dieser Art von Vorstellung, die sicher nicht jedermanns Sache ist, liegt darin, daß relativ schnell zum Kunden ein Funke der Sympathie, der Menschlichkeit, überspringt.

Beispiel 4

»Guten Tag, hier spricht Vögele, Siegfried Vögele aus München, Herr Mumm, als Direktwerbeberater beschäftige ich mich mit ...«

Hier steckt neben der doppelten Vorstellung gleich noch der Ort in der Vorstellung, so weiß der Kunde es ist a) ein Ferngespräch (also ist es wichtig – und ich bin so wichtig, daß jemand sogar aus München anruft!), b) hat er gleich die Zuordnung der Adresse des Anrufers und c) kennt er wahrscheinlich München und hat damit schon eine Art Verbindung zum Anrufer.

Daß hier noch die Chance genutzt wird, gleich die Funktion mitzuerwähnen, ist nur zu begrüßen. Wenn man auch gleich vermuten muß, daß in der ganzen Vorstellung zu viel Informationen gebracht wurden.

Beispiel 5

»Guten Tag Herr Süßholz, hier spricht Wennt, Otto Wennt, den jeder kennt, aus Ludwigshafen.«

Richtig, zu solch einer humorvollen Vorstellung muß natürlich auch der Mensch passen, der hinter ihr steckt. Aber sie bringt uns auf die Idee, unseren Namen mit etwas zu assoziieren, sofern er sich dazu eignet:

»Hier spricht Klein, wie groß«
»Mein Name ist Reich, wie arm«
»Sie sprechen mit Sommer, Helmut Sommer, Sommer wie Winter bringe ich Ihnen den Sommer ins Haus«

Titel und Stellung lassen wir bei der Vorstellung besser weg. Denn entweder wir erwecken einen affektierten oder angeberischen Eindruck oder wir bauen eine unnötige Distanz zu dem Kunden auf, der noch nicht zu Orden und Ehren gekommen ist.

In Seminaren wird immer wieder gefragt, in welcher Reihenfolge Firma und eigene Person vorgestellt werden müssen:

»Mein Name ist Meier von der Firma Müller«
oder
»Firma Müller, es spricht Maier«

Zu einem endgültigen Ergebnis sind wir eigentlich nie gekommen. Halten wir deswegen fest, daß es harmonisch klingen sollte.

Grundlage Nr. 5 einer erfolgreichen Terminvereinbarungs-Technik

Schaffung einer positiven Gesprächsatmosphäre

Wir müssen uns vergegenwärtigen, daß der Angerufene bei irgendeiner Beschäftigung unterbrochen wird. Wenn er sowieso nur Prospekte oder die Zeitung liest, ist er vielleicht sogar erfreut, daß endlich das Telefon klingelt.

Arbeitet er aber intensiv an einer Statistik oder diktiert er gerade einen komplizierten Sachverhalt, dann fühlt er sich aus seinem Rhythmus, aus seiner Konzentration herausgerissen. Logisch, daß er sich gestört fühlt.

Weil wir nicht wissen, ob er sich über das klingelnde Telefon freut oder ärgert, sollten wir uns auf beide Situationen einstellen.

Freude kann noch verstärkt werden durch unsere Freude.

Ärger kann schnell vergessen sein, wenn wir einen gutgelaunten Menschen erleben. Seien wir deswegen gut gelaunt. Versetzen wir uns in eine frohe Stimmung.

Grüßen wir besonders freundlich, brummeln wir den Gruß nicht in unseren (nicht vorhandenen) Bart.

Und dann kommt die aufwertende und verständliche Vorstellung. Der Kunde wird aufmerksam aber abwartend.

Deswegen benötigen wir jetzt eine *Einleitung*, die ein positives Klima begünstigt.

Dazu könnte gehören, daß wir den Kunden aufrichtig aufwerten:

»Herr Kunde, stimmt das was mir zu Ohren gekommen ist, daß Sie den ersten Preis bei dem Architekturwettbewerb gewonnen haben?«

oder

»Herr Kunde, wie ich weiß, sind Sie der führende Hersteller von Schmierstoffen«

oder

»Herr Kunde, Sie als fortschrittlicher Unternehmer bauen gerade jetzt Ihre Kapazität aus, wie wir wissen. Das zeugt von Weitblick«

oder

»Herr Kunde, Sie wie ich wissen, daß man sein sauer verdientes Geld schnell los werden kann«

Bei diesen Einleitungsformulierungen geht es um zweierlei:

1. Wir wollen den Kunden auf angenehme Weise aufwerten.
2. Wir wollen eine Übereinstimmung unserer Meinung bekommen.

Erreichen wir beides, ist der Erfolg vorgeplant. Denn einem Menschen gegenüber, der uns schätzt und der noch die gleiche Meinung hat, sind wir besonders aufgeschlossen.

Zur Gesprächsatmosphäre gehört natürlich auch, daß wir locker und entspannt mit dem Kunden reden, ihn *nicht* mit einer auswendig gelernten Technik überfahren. Bleiben wir gerade am Anfang ruhig und freundlich, geben wir dem Kunden ruhig eine Chance zur Reaktion. Eine anfänglich negative Reaktion ist ja auch nicht so gefährlich wie die, die dann kommt, wenn sich der Kunde überrumpelt fühlt.

Grundlage Nr. 6 einer erfolgreichen Terminvereinbarungs-Technik

Den richtigen Gesprächspartner finden

Wir wissen heute, daß rund die Hälfte aller gemachten Angebote überflüssig sind. Zwei Faktoren sind dafür verantwortlich. Zum einen werden rund 25 % aller Beratungen bei nicht kompetenten Personen geführt und bei den anderen 25 % werden Angebote aufgrund fehlerhafter Bedarfsanalysen gemacht.

Auf den zweiten Fall gehen wir in Kapitel 4 ein.

Wenden wir uns zunächst dem Problem des inkompetenten Gesprächspartners zu.

Oft freuen wir uns so sehr, überhaupt einen Termin bekommen zu haben, daß wir gar nicht mehr erst in Versuchung kommen, uns noch zu vergewissern, ob es der richtige Mann ist. Vielleicht hat er nur einen Termin freigemacht, um nicht »Nein« sagen zu müssen. Oder er läßt sich besuchen, um hausintern seine Bedeutung zu beweisen. Oder er hat selbst nicht kapiert um was es geht.

Fragen wir doch gleich am Anfang, bevor wir unser eigentliches Anliegen vorbringen, nach seiner Zuständigkeit.

Das kann so elegant geschehen, daß sich der Gesprächspartner im zutreffenden Fall sogar geschmeichelt fühlt.

Schon bei der Telefonzentrale fängt es an. Hier dürfen wir nicht sagen

»Bitte, verbinden Sie mich mit der Einkaufsabteilung«

sondern müssen fragen,

»Sagen Sie, wer ist bei Ihnen für die Beschaffung von Formularen zuständig?«

oder

»Wie heißt Ihr Konstruktionsleiter eigentlich?«

Und erst nach Beantwortung dieser Frage zu unserer Zufriedenheit, bitten wir die Dame, uns mit diesem Gesprächspartner zu verbinden.

Jetzt haben wir eine Chance in der Hand. Wenn wir jetzt aber sagen, »Die Telefonzentrale sagte uns ...«, stellen wir uns mit dieser gleich und haben bei Herrn Generaldirektor nichts mehr zu melden.

Warum nennen wir denn so gern unsere Informationsquelle, die Zeitung oder die Sekretärin? Aus Unsicherheit!

Besser:

»Wie ich weiß, sind Sie Herr Bruder, als Generaldirektor zuständig für Organisationsfragen ...«

Die Formulierung »Wie ich weiß« macht uns *wissend* und einem Menschen mit Wissen kann man schon Vertrauen schenken.

Und der Herr Generaldirektor hält sich ja auch für *wissend*, also haben wir wieder eine Gemeinsamkeit erreicht, was verbindend ist.

Auch finden wir in dem Satz eine versteckte Aufwertung. Nämlich »sind Sie, Herr Bruder, als Generaldirektor zuständig«. Menschen mit Status sind auf diesen auch ansprechbar. Nur eben *nicht* direkt. »Toll, gratuliere zu Ihrer Stellung, Herr Generaldirektor.« Sondern immer nur indirekt.

Beispiele:

»Stimmt das, daß Sie als Konstruktionsleiter, Herr Vetter, für die Betriebsleitung mitverantwortlich sind?«

Aber wir müssen gleichzeitig vor der Verbindung »Aufwertung und Frage nach Zuständigkeit« warnen. Es könnte sein, daß sich der Angesprochene so geehrt fühlt, daß er nicht mehr »Nein« sagen kann.

Deswegen benötigen wir zwischendurch Fragen wie

»Entscheiden Sie das alleine?«

»Wer ist dann für die Details zuständig?«

Haben wir den richtigen Gesprächspartner dann am Apparat, sollten wir ruhig die Chance nützen, ihn aufrichtig aufzuwerten. Etwa so:

»Ich freue mich, gleich mit Ihnen selbst sprechen zu können, das erleichtert uns vieles.«

»Es ist vorteilhaft, daß wir beide uns gleich jetzt kennenlernen, dann haben Sie den Vorteil, daß Sie gleich informiert sind ...«

»Es freut mich, daß ich mit Ihnen als Personalchef sprechen kann. Denn gerade Personalchefs sind von der Notwendigkeit permanenter Weiterbildung überzeugt.«

»Schön, daß ich gleich mit Ihnen spreche, denn Sie als hochbesteuerter Unternehmer kennen das alte Problem ...«

Die von einem anderen Verkaufsmann früher empfohlene Satzformulierung

»Spreche ich mit Herrn Altmann persönlich«

halten wir heute als allzu überzogen und schmierig. Der Angesprochene muß sich auf den Arm genommen fühlen.

Eine Aufwertung sollte nebenbei stattfinden. Der Partner fühlt sich dann anerkannt aber nicht geschmeichelt. Deswegen hat er es schwer, der anschließenden Feststellung zu widersprechen, es sei denn, daß sie Unlogisches enthält:

»Gerade kreative Architekten wie Sie wünschen die vielseitigeren Gestaltungsmöglichkeiten bei der Konstruktion des Aufzugsschachtes«

Grundlage Nr. 7 einer erfolgreichen Terminvereinbarungs-Technik

Kundenorientierte Gesprächsbegründung

Wir gehen meist von uns aus. Deswegen erwähnen wir als Begründung für unseren Anruf oft eigene Anlässe wie

»Herr Kunde, wir haben jetzt den Motor noch ruhiger hingekriegt, deswegen rufe ich an, um einen Termin zu vereinbaren.«

Abgesehen davon, daß der Verkäufer hier mit der Tür ins Haus fällt, »Rufe an, um einen Termin zu vereinbaren«, und deswegen gleich Widerspruch ernten wird, nennt er einen *Ich*- oder *Wir*-bezogenen Aufhänger.

Versuchen wir es zu verbessern:

»Herr Kunde, weil sicherlich auch Sie danach trachten, Ihren Lärmpegel in der Produktion zu senken, möchte ich ...«

Es ist eindeutig, hier hat der Verkäufer den Kundennutzen angesprochen, er ging vom *Kunden a*nstatt von sich selbst aus. Das konnte er aber nur, weil er sich gut vorbereitet hatte. Das sollten wir auch tun, bevor wir anrufen:

Welchen aktuellen Kundenanlaß könnte es geben, der anzusprechen ist?

Beispiele:

Transportbänder

»Herr Kunde, weil es Sie wahrscheinlich interessiert, wie man die Standzeiten von Transportbändern verbessern kann, möchte ich ...«

Druckluftwerkzeuge

»Herr Kunde, im Zusammenhang mit Ihren Überlegungen, Ihre Druchluftkapazität besser auszunutzen, hätte ich Ihnen einen Vorschlag«

Fenster

»Herr Kunde, weil Sie sicher nicht in 5 Jahren schon wieder Ihre

Fenster auswechseln wollen, habe ich Ihnen etwas Interessantes zu zeigen«

Technische Bürsten

»Herr Kunde, im Zusammenhang mit Ihrer neuen Eiersortieranlage haben wir für Sie eine Idee, wie Verschmutzungen noch einfacher ...«

Versicherungen

»Herr Kunde, weil es für Sie wichtig sein dürfte, kritische Vergleiche zu kennen ...«

Immobilienfonds

»Herr Kunde, zum nächsten Steuertermin tut es wieder weh, den scheinbar unvermeidlichen Scheck an das Finanzamt zu unterschreiben ...«

Bauherrenmodelle

»Herr Kunde, weil Sie als erfahrener Kapitalanleger sicher Rendite mit Inflationsschutz verbinden, habe ich für Sie ein interessantes Modell ...«

Ladeneinrichtungen

»Herr Kunde, gerade Sie als Drogist legen sicher großen Wert auf eine verkaufswirksame Geschäftsgestaltung. Dazu haben wir einige Ideen, die für Sie sehr interessant sein dürften ...«

Baumaschinen

»Herr Kunde, als Tiefbauunternehmer wissen Sie, worauf es bei Baumaschinen ankommt: Problemlose Bedienung muß mit hoher Leistung kombiniert werden. Stimmt'? Deswegen ist für Sie ...«

Grundlage Nr. 8 einer erfolgreichen Terminvereinbarungs-Technik

Neugierde für das Gespräch wecken

Der größte Grundfehler bei der telefonischen Terminvereinbarung ist, daß man den Kunden ausführlich über die eigenen Produkte schon per Telefon berät und informiert. Doch, je höher der Informationsgrad des Kunden ist, desto überflüssiger wird der Besuch.

Deswegen

NICHT INFORMIEREN!
SONDERN INTERESSIEREN!

Dies muß unser Leitsatz für diese Regel werden. Je besser ich den Kunden für das Gespräch interessieren kann, je mehr ich in der Lage bin, Neugierde zu wecken, desto notwendiger wird der Besuch für den Kunden. Er muß voller Spannung unserem Gespräch »entgegenfiebern«.

Warum das so ist? Noch eine kurze Begründung: Wenn wir den Ausgang eines Krimis schon kennen, brauchen wir den Krimi erst gar nicht mehr zu lesen!

Was können wir also tun?

1. Nicht ein Produkt XYZ anbieten, sondern »Etwas«

Wenn unsere Kinder sagen, »Ich weiß etwas, was Du nicht weißt«, machen Sie uns neugierig. Was ist dieses gewisse *Etwas*? Wir denken nach, machen uns Gedanken.

Sagen wir deswegen zum Kunden:

»Wir haben *etwas* entwickelt, was für Ihre Produktionssteuerung wichtig sein dürfte ...«

2. Nur die Möglichkeit eines »gewissen« Vorteils andeuten

Wir haben es im vorigen Satz schon gemerkt. Vielleicht haben wir sogar gemeint, warum der Verkäufer hier so unsicher formuliert, »für Ihre Produktionssteuerung wichtig sein dürfte« und nicht »... sein wird«!

Richtig. Er hätte mehr Selbstsicherheit zeigen können. Warum hat er es nicht getan?

Nun, er kennt den Kunden nicht, er weiß nicht, ob dieser herrschsüchtig ist. Denn dann hätte der Kunde diese Selbstsicherheit gleich zum Anlaß für die erste Abwehr genommen.

Andererseits weckt man mit demonstrativer Selbstsicherheit keine Neugierde, höchstens Abwehr, weil der Kunde das Gefühl bekommt, daß es hier wieder mal einer besser weiß, oder meint, es besser zu wissen.

Deswegen sollten wir von der *Möglichkeit* von Vorteilen sprechen, also bewußt den Konjunktiv einsetzen:

»... was für Sie aus wirtschaftlichen Gründen interessant sein dürfte ...«

»... was für Sie aus steuertechnischen Überlegungen vorteilhaft sein könnte .. «

»... was für Sie den Vorteil der Zeitersparnis bringen dürfte ...«

Und daß sich aus der Möglichkeit ein sicherer Vorteil ergeben kann, ist dadurch zu erreichen, das wir eine ...

3. Gemeinsame Untersuchung vorschlagen

Denn die individuellen Vorteile sind doch von Kunde zu Kunde verschieden. Und um sie festzustellen, benötigen wir eine Untersuchung mit dem Kunden, wobei seine Erwartungen, seine Anforderungen und seine Bedarfslage mitentscheidend sind.

»Deswegen schlage ich vor, daß wir kommenden Freitag gemeinsam untersuchen, wo Ihre spezifischen Vorteile liegen«

»Herr Kunde, lassen Sie uns gemeinsam untersuchen, welche Möglichkeiten es für Sie gibt, steuerliche Vorteile mit Inflationsschutz zu verbinden.«

4. Sprechen wir von einem »System«, das wir für ihn haben

Ein System muß es sein, das wir haben, nicht ein Produkt. Das Wort System verdeutlicht schon, daß sich hier jemand Gedanken gemacht hat, daß es sich um eine abgerundete Sache handelt.

»Es handelt sich um ein System vernünftiger Energieausbeutung«

»Es ist ein System wirtschaftlicher Lagerhaltung«

Wenn dann der Kunde sagt,

»Wie funktioniert denn das?«

antworten wir

»Sehen Sie, deswegen rufe ich ja an, das System ermöglicht ein Spektrum an Möglichkeiten, die wir untersuchen sollten. Wann paßt Ihnen denn ein Termin ...«

Ein System ist in der Regel eine komplexe Angelegenheit, die am Telefon auch nur schwer zu erklären ist. Dazu muß man schon hin zum Kunden. Das wird er auch verstehen. Will nun der Kunde aber wirklich zweimal nacheinander wissen, um was es handelt, ist es empfehlenswert, doch einige Ideen zu vermitteln:

»Herr Kunde, durch einen zusätzlichen Honvorgang erreichen wir eine exaktere Paßform, die sich bei Ihnen durch verringerten Verschleiß auswirkt.

Das wäre doch für Sie interessant, gell? Wann paßt Ihnen das Gespräch?«

5. Bieten wir etwas zu zeigen, zu sehen, zu fühlen an

Weil wir am Telefon nichts sehen können, wecken wir mit dem Satz

»Ich möchte Ihnen gerne etwas *zeigen*, was ...«

besonders viel Neugierde.

Sprechen wir also Sinne an, die am Telefon nicht gebraucht werden können: das *Sehen*, das *Fühlen*, das *Riechen*, das *Schmecken*.

Wie hört sich das nun im Zusammenhang an. Wieder ein Praxisbeispiel:

Verkäufer:	»Ich möchte Ihnen gerne etwas zeigen, was für Sie aus steuerlichen Gründen recht interessant sein könnte.«
Kunde:	»Was ist das denn?«
Verkäufer:	»Es handelt sich um ein System sicherer Steuerentlastung bei gleichzeitig inflationsgeschützter Kapitalbildung.«
Kunde:	»Mhmm, wie funktioniert das denn?«
Verkäufer:	»Ich sehe, Sie interessiert das. Wir sollten deswegen gemeinsam untersuchen, wo Ihre spezifischen Vorteile liegen. Paßt es Ihnen am ...«

Also um genügend Neugierde für die Beratung zu wecken, müssen wir

1. »etwas« anbieten
2. die »Möglichkeit« eines Vorteils andeuten
3. eine »gemeinsame Untersuchung« vorschlagen
4. von einem »System« sprechen
5. das wir gerne »zeigen« möchten

So interessieren wir, anstatt zu informieren! Wir brauchen also Argumente für den Termin, nicht für das Produkt.

Grundlage Nr. 9 einer erfolgreichen Terminvereinbarungs-Technik

Die Termin-Vorschlags-Technik

Wer sollte eigentlich das Gespräch führen, die Initiative haben, der Kunde oder wir?

Natürlich wir!

Und wer sollte den Termin vorschlagen?

Der Kunde?

»Ich komme ganz wann es Ihnen paßt«
»Ich richte mich ganz nach Ihnen«
»Sagen Sie mir wann es Ihnen genehm ist«
»Wann dürfte ich Sie denn aufsuchen?«

Wir merken es überdeutlich, wenn vier negative Fragestellungen nacheinander wirken. Alle Terminfragen sind unterwürfig, devot, aber höflich. Wir wollen hier dem Kunden ja nicht zur Last fallen. Aber bei allzu viel Unterwerfung wird der Kunde zu selbstsicher und uns zu überlegen.

Dann sprechen noch ein paar Punkte dagegen, dem Kunden die Terminwahl zu überlassen. Erstens geben wir zu, einen sehr flexiblen Terminkalender und damit nichts zu tun zu haben. Zweitens offenbaren wir, daß wir nicht selbst planen, sondern uns verplanen lassen. Drittens heben wir die Bedeutung des Kunden so hoch, daß er unserer späteren Beratung wenig Aufmerksamkeit schenken wird. Viertens haben wir vielleicht sogar nichts zu tun und brauchen dringend einen Auftrag. Fünftens schicken uns dann die Kunden wirklich kreuz und quer durch unser Gebiet, wodurch unsere Kilometer-Leistung steigt, was ganz und gar nicht in unserem Interesse sein dürfte.

Kurz: Wir fragen nicht den Kunden nach seinem Terminvorschlag! Sondern machen *selbst* einen Vorschlag!

Der zu vereinbarende Termin ist die logische Konsequenz des Gespräches. Deswegen schließt sich unserer Argumentation ganz ruhig und vollkommen selbstverständlich der Terminvorschlag an.

»Herr Kunde, weil dieses System Ihnen helfen kann Zeit zu sparen, sollten wir uns treffen, um Ihre exakten Vorteile zu untersuchen.
Ich habe da noch eine gute Möglichkeit am Freitag Vormittag ...«

Lassen wir ruhig den Termin »aus unserem Terminkalender entspringen«, kommen wir nicht mit einem auswendig gelernten Satz, den uns ein Verkaufsexperte vorträllerte.

Weil aber der Kunde vielleicht an dem vorgeschlagenen Termin nicht kann, sollten wir nach dem ersten Vorschlag eine Pause machen, hören und nachsetzen ...

»Ich hätte da noch eine Möglichkeit am Freitag Vormittag ...« (kurze Pause zum Nachdenken und reagieren geben) »oder was wahrscheinlich noch besser wäre, gleich Montag früh um 8.30 Uhr« (kurze Pause wieder machen). »Welchen Tag bevorzugen Sie, Herr Kunde?«

Jetzt ist es eine Frage, *welcher Tag paßt besser*, und nicht mehr *ob* es überhaupt paßt. Denn streng genommen könnte man auch fragen »Würde es Ihnen denn passen, wenn ich Sie mal besuchen würde?« Natürlich muß darauf die Antwort »Nein, danke« sein.

Machen wir einen Alternativ-Vorschlag:
»Donnerstag oder Freitag«

wobei wir erst eine Vorentscheidung treffen lassen können, die unverfänglicher ist:

»Welchen Wochentag bevorzugen Sie generell, Donnerstag oder Freitag?« oder

»Paßt es Ihnen am Wochenanfang oder zum Wochenschluß« oder

»Besser vor oder nach Weihnachten?«

Jetzt macht sich der Kunde Gedanken, wann es ihm besser paßt, anstatt an welchem präzisen Tag. Hat er sich erst auf die generelle Linie festgelegt, ist es ein leichtes, noch den präzisen Tag zu vereinbaren.

Es wirkt sich sehr förderlich auf den Terminabschluß aus, wenn wir während der Suche nach einem geeigneten Termin in unserem Kalender vor uns hinmurmeln, z. B. so ...

»Da ist der Montag, nein, da geht es nicht ... aber am Dienstag, da wäre es möglich.«

Die Vorstellung, daß wir nicht an jedem Tag können, macht uns noch begehrlicher. »Mach Dich selten, dann wirst Du gelten!«

Hat der Kunde einem Termin zugestimmt, dann sollten wir diesen in Ruhe wiederholen, sagen, daß wir ihn in den Terminkalender eintragen, und noch die genaue Uhrzeit festlegen. So vermeiden wir Fehlfahrten durch vom Kunden verursachte Vergeßlichkeit und zeigen nochmal, wie wichtig es uns ist. Wir sagen

»Also am Dienstag, um 10 Uhr, ich habe es mir eingetragen, ich werde pünktlich sein.«

Eine gute Hilfe ist auch, wenn wir den Kunden noch fragen

Verkäufer:	»Am Dienstag bin ich bis 9 Uhr in Brackwede, fährt man denn länger als eine halbe Stunde nach Gütersloh?«
Kunde:	»Nein, halbe Stunde, höchstens.«
Verkäufer:	»Wenn ich dann früher da bin, kann ich mich doch schon melden?«
Kunde:	»Selbstverständlich.«

Noch eine Warnung. Es kommt immer wieder vor, daß scheinbar perfekte Formulierungen auswendig gelernt werden. Beispielsweise diese

»Herr Kunde, wann paßt es Ihnen besser, Dienstag, 10.17 Uhr, oder Donnerstag im Laufe des Nachmittags?«

Die allzu präzise Zeitangabe könnte uns höchstens lächerlich machen. Darüber hinaus überfahren wir den Kunden mit solch einer herausgeschossenen Alternativfrage. Er muß spüren, daß es sich hier um einen trainierten Verkäufer handelt. Und das wirkt negativ, weil er sich sagt, daß er dann bei einem eventuellen Besuch sehr auf der Hut sein muß.

Also, zusammenfassend:

1. den Terminvorschlag machen wir selbst
2. mit ruhiger Tonlage
3. Pause machend, um dem Kunden eine Chance zur Reaktion zu geben

4. wobei der Termin ruhig aus dem Kalender entstehen soll
5. und der Kunde auch beiläufig merken kann, daß wir viel beschäftigt sind
6. zwei zur Auswahl gegebene Termine erleichtern seine Wahl
7. wobei eine Vor-Alternative als Grundsatz-Frage gestellt werden sollte
8. gleich nach der Wahl bestätigen wir durch Wiederholung nochmals den Termin, präzisieren ihn
9. und sichern zu, pünktlich zu sein

Grundlage Nr. 10 einer erfolgreichen Terminvereinbarungs-Technik

Typische Termin-Einwände entkräften können

Einwände sind in jeder Phase eines Verkaufsgespräches möglich. Sie zeigen neben einer Abwehrhaltung auch vorsichtige Skepsis oder gar Verantwortung an.

Die Ein- und Vorwände in der Terminvereinbarungsphase dagegen haben meist Angst vor dem Neuen zur Ursache. Nehmen wir dem Kunden einfach die Angst, indem wir die Einwände nicht nur einfach beantworten, sondern so, daß aus der Antwort die Terminnotwendigkeit unterstrichen wird.

Was sind die typischen Einwände?

Vergleichen wir einmal mit unseren eigenen Erfahrungen in unserer Branche.

Einwand	Ursache
1. Bin mit Ihrem Wettbewerb zufrieden!	Er *will* nicht ändern, will keinen neuen Ärger.
2. Schicken Sie mal Unterlagen!	Unterlagen können nicht schaden. Vorwand: Gibt »ihm« einen *Scheinerfolg*, dann bin ich ihn los.
3. Machen Sie mal ein Angebot!	Vorwand: Schriftlich *absagen* kann ich immer noch.
4. Sie sind zu früh dran!	Habe *jetzt* keine Lust, mich damit zu beschäftigen.

Einwand	Ursache
5. Ich rufe wieder zurück!	Abwimmeln. Verkäufer kommt zum *falschen Zeitpunkt.*
6. Kein Bedarf!	Hat *keine Lust,* sich mit meinem Angebot auseinanderzusetzen.
7. Kein Interesse!	Hat gerade was *anderes* zu tun, oder keine Lust oder mit uns schlechte Erfahrungen.
8. Habe keine Zeit!	... für so etwas, er weiß noch zu wenig von unseren Vorteilen.
9. Habe schlechte Erfahrungen mit Ihnen / oder solchen Produkten!	Könnte die Wahrheit sein.
10. Sie sind zu spät dran!	Wahrheit oder Vorwand!

Welche Einwände kommen noch vor?

11.

12.

13.

14.

15.

Oder waren es schon alle?

Sicherlich sind mit den 10 zuerst genannten Einwänden mindestens 75 % aller möglichen in den meisten Branchen genannt. Die Zahl der Einwände in der Terminvereinbarungsphase ist nämlich äußerst begrenzt. Deswegen bieten sie sich geradezu an, perfekt darauf vorbereitet zu sein.

Wie soll unsere Antwort sein:

1. Den Nagel auf den Kopf treffen.
2. Den Termin als notwendiges Ergebnis daraus folgern.

Ab Kapitel 3.3 nehmen wir für jeden Einwand eine Extraseite, dann können wir den verbleibenden Platz für unsere eigenen persönlichen Erfahrungen nutzen.

Besonders wichtig bei der Einwandbehandlung

Unsere Antwort muß sehr kurz,
dabei dennoch sehr freundlich sein.
Im Brustton der Überzeugung, daß unsere Antwort genau ins Schwarze trifft, müssen wir aber *danach* unbedingt die vorher schon erwähnten

Terminvorschläge wiederholen!

Beispiel:

Kunde: »Habe keine Zeit.«
Verkäufer: »Wir brauchen auch nur wenig Zeit. Danach bestimmen Sie, ob ein weiteres Gespräch für Sie vorteilhaft ist. Klappt es am Dienstag, oder bevorzugen Sie den Freitag?!«
Kunde: »Freitag ist besser, da wird es nachmittags etwas ruhiger.«

Wiederholen wir den ursprünglich gemachten Terminvorschlag nämlich nicht, zeigen wir, daß wir spüren, über das Ziel hinausgeschossen zu sein. Der Kunde bekommt eine Übermacht und wird erst recht »Nein« sagen.

Deswegen

Zu einer guten Antwort auf einen Kundeneinwand gehört die Wiederholung unseres Terminvorschlages!

Grundlage Nr. 11 einer erfolgreichen Terminvereinbarungs-Technik

Termin-Sicherungs-Technik

Immer wieder wird es uns passieren, daß ein zugesagter Termin platzt, also vom Kunden nicht eingehalten wird. Vielleicht hat der Kunde diesen Termin nicht in seinem eigenen Kalender eingetragen und deswegen vergessen. Oder er hielt unseren Termin, oder gar unseren Besuch und damit uns selbst für unwichtig.

Tragisch genug, doch was tun?

Legen wir doch den Termin, sobald er vom Kunden akzeptiert ist, so präzise wie möglich fest! Denn sobald wir sagen, daß wir so *gegen* 10 Uhr bei ihm sein werden, weiß er, daß wir wahrscheinlich unpünktlich sind. Im Unterbewußtsein richtet er sich darauf ein, bereitet sich nicht vor und läßt sich durch allerlei Umwelteinflüsse ablenken.

Wenn wir dann *genau* um 10 Uhr da sind, arbeitet er wahrscheinlich sehr konzentriert und läßt uns deswegen warten.

Am besten sagen wir es dem Kunden so:

Verkäufer: »Schön, Herr Kunde, ich habe mir gerade Punkt 10 Uhr eingetragen, ich werde pünktlich sein.«

Und wenn wir sehr weit zu reisen haben (eventuell auch dann keinen Ausweichtermin haben), dann ist es sowieso empfehlenswert, den Termin schriftlich zu bestätigen.

Ein Kollege im Schwarzwald pflegt noch während der Terminvereinbarung den Kunden zu fragen:

Verkäufer: »Bis 8.15 Uhr bin ich noch in Offenburg, eine Stunde Fahrzeit nach Baden-Baden reicht doch? Oder?«

Kunde: »Sicher, nehmen Sie am besten die Autobahn, dann brauchen Sie nur 45 Minuten.«

Verkäufer: »Ah, ja, danke für den Tip. Ich werde pünktlich um 9 Uhr bei Ihnen sein.«

Und ein erfolgreicher Berater im Bonner Raum geht noch einen Schritt weiter, er läßt sich sogar vom Kunden helfen, den Weg zu finden.

Verkäufer: »Herr Kunde, ich war noch nie in Viersen, eine Bitte, können Sie mir kurz erklären, wie ich Sie finde?«

Kunde: »Gern, Sie fahren die neue Autobahn in Richtung Venlo, fahren bis Ausfahrt...«

Verkäufer: »Dankeschön, so kann ja nichts schief gehen. Ich bin genau um 11 Uhr da.«

Der Kunde hat dem Verkäufer geholfen, hat damit für ihn schon etwas geleistet und fühlt sich ihm gegenüber »seelisch« verbunden. Klar, daß er (der Kunde) auch pünktlich sein wird.

Vom gleichen Berater wissen wir, daß er etwa 30 Minuten vor dem Termin von seiner Sekretärin, die eine Kopie seiner Besuchsplanung besitzt, beim Kunden anrufen läßt.

Sekretärin: »Herr Kunde, Sie wissen, Herr Rasche ist unterwegs zu zu Ihnen...«

Kunde: »Ja, wir haben für 11 Uhr ein Gespräch vereinbart.«

Sekretärin: »Genau, deswegen rufe ich auch an. Herr Rasche ist nämlich ein sehr pünktlicher Mensch. Doch dieses Mal könnte es sein, daß er sich um 5 Minuten verspätet.«

Kunde: »Macht nichts, ich richte mich darauf ein.«

Was der Kunde nicht weiß: Rasche wird exakt auf die Minute da sein, womit er den Kunden positiv überrascht. Man nennt dies eine Demonstration eigener Zuverlässigkeit.

Dieser Zuverlässigkeitsbeweis ist sehr wichtig. Denn ob der Kunde uns glaubt, zu uns also Vertrauen hat, das entscheidet sich ganz am Anfang. Es gilt Vertrauensvorschuß für die Beratung zu ernten, damit diese uns leichter fällt.

Natürlich darf vorhandenes Vertrauen später nicht verletzt werden. In der Beratung dürfen wir nicht zuviel versprechen, wir müssen sehr sachlich sein.

Grundlage Nr. 12 einer erfolgreichen Terminvereinbarungs-Technik

Kontrollieren wir unseren Erfolg!

Selbtskritik ist der erste Weg zur Besserung! Wir können uns selbst nur äußerst schwierig kritisieren. Im allgemeinen glauben wir nämlich, daß wir selbst schon in Ordnung sind, nur die Umwelt nicht immer so mitmache. Ist das wirklich so?

Bei Video-Übungen in Seminaren erschrickt in der Regel jeder, wenn er sich selbst zum erstenmal sieht. Doch endlich sieht er sich so, wie ihn seine Mitmenschen sehen. Sind wir heilfroh, daß es diese Möglichkeit gibt, uns selbst mit den Augen unserer Kollegen und Kunden kennenzulernen.

Praktizieren wir solche Übungen auch mit uns selbst. Im kleinen Kreis, Tonbandaufzeichnungen reichen da vollkommen. Oder, was noch besser ist, wir stellen während der eigenen Terminvereinbarungsgespräche gleich ein Mikrophon auf. Bei anschließendem Abhören unseres eigenen Gespräches erkennen wir uns kaum wieder. Was wird da gestottert oder auf Einwände des Kunden eine halbherzige Antwort gegeben.

Doch solch eine Tonbandaufzeichnung ist sehr lehrsam. Sie wird uns veranlassen, wieder mal selbst an uns zu arbeiten. Denn noch ist kein Meister vom Himmel gefallen. Und wer wirklich ein Profi in der Verkaufs- und Verhandlungstaktik werden will, muß ständig und viel an sich arbeiten.

Die Terminvereinbarungs-Technik bietet sich gerade dazu an!

Zusammenfassung

Die 12 Goldenen Grundlagen erfolgreicher Terminvereinbarung

1. Auf ein Terminvereinbarungsgespräch mit einem noch unbekannten Kunden müssen wir exzellent *vorbereitet* sein!
2. Nehmen wir das *Ziel* »Termin« ins Auge, dann werden und bleiben wir »zielstrebig«.
3. Unser Verhalten muß den Bedürfnissen eines Telefonates angepaßt sein, dies ist unsere *»Visitenkarte«!*
4. *Stellen* wir uns selbst- und kundenaufwertend *vor!*
5. Schaffen wir eine positive *Gesprächsatmosphäre!*
6. Sprechen wir mit dem *»richtigen« Gesprächspartner*, der dann auch kompetent ist!
7. Unser *Aufhänger*, die Begründung warum wir anrufen, soll *kundenorientiert* sein!
8. *Interessieren* statt informieren, *Neugierde* wecken!
9. Beherrschen wir die Grundregeln erfolgreicher *Terminvorschlagstechnik!*
10. Üben wir uns vorher im *Beantworten der typischen Einwände*, so daß daraus die *Terminnotwendigkeit* entspringt!
11. Sichern wir die Pünktlichkeit des Termins seitens des Kunden zusätzlich ab!
12. Bleiben wir selbstkritisch! Analysieren wir unser eigenes Terminvereinbarungsgespräch laufend.
    Nur so können wir unsere Erfolge laufend steigern!

3.3 Erfolgreiche Einwandbeantwortung

Weil viele Terminvereinbarungsgespräche gerade am Fehlen der passenden Antwort scheitern, widmen wir diesem wichtigen Thema ein ganzes Kapitel.

In den 12 Jahren meiner eigenen Trainerpraxis habe ich gemeinsam mit vielen Verkäuferkollegen systematisch die besten Antworten auf die 10 häufigsten Einwände während der Terminvereinbarung zusammengetragen. Aber Vorsicht, die Antworten sollten nicht kommentarlos einfach auswendig gelernt und so dem Kunden gesagt werden.

Sie bedürfen allesamt einer Übertragung auf die Praktikabilität in Ihrer Branche und Praxis. Und, die Formulierungen müssen zu unserem sonstigen Wortschatz passen.

Der Verständlichkeit halber finden wir in diesem Kapitel auch gleich besonders negative und damit zu vermeidende Formulierungen.

Die positiven Antworten kann man von den negativen dadurch sofort unterscheiden, weil erstere immer eingerahmt sind.

Und nun an die Arbeit.

Üben wir uns im Beantworten der Einwände, aber immer mit dem Gedanken: Wird so der Termin noch notwendig? Läßt unsere Antwort die Terminnotwendigkeit für den Kunden erkennen?

Wenn uns das gelingt, ist der Termin sicher!

1. Einwand

Ich bin mit Ihrem Wettbewerb zufrieden!

»Das Bessere ist des Guten Feind« hörten wir unlängst von einem Kollegen. Das ist sicher logisch und damit richtig. Doch dürfen wir es so dem Kunden sagen? Nein, sicher nicht, denn damit wird ihm gesagt, daß seine früher getroffene Entscheidung nicht die beste war. Er wird seinen heutigen Lieferanten verteidigen und aus ist der Traum vom Besuch.

Besser ist:

> »Herr Kunde, das verstehe ich, das ist dann auch ein Vorteil für Sie, denn dann kennen Sie sich ja in der Branche aus und können gleich kritisch vergleichen.«

Und welcher Kunde wird jetzt noch »Nein« sagen? Kaum einer. Noch härter, von mehr Selbstbewußtsein geprägt ist jedoch

> »Herr Kunde, das freut mich für Sie, dann wollen Sie als kritischer Kunde sicher gleich kritisch vergleichen. Stimmt's?«

Sicher, es wird kein Kunde »Nein« sagen, denn dann würde er ja auch zugeben, daß er nicht kritisch ist. Aber er könnte sich auch leicht überrumpelt fühlen.

2. Einwand

Schicken Sie mal Unterlagen!

Das ist ein Abwimmel-Einwand »erster Klasse«. Freudig schicken wir unsere Prospekte, doch der Kunde wird sich nicht mehr melden. Sagen wir bitte deswegen nicht, daß Prospekte im allgemeinen nichts aussagen und ein persönliches Gespräch notwendig wäre. Der Kunde könnte daraus folgern, daß unsere Prospekte nichts taugen und uns nur an einem persönlichen Gespräch gelegen sei.

Erfolgreiche Verkäufer antworten:

> »Herr Kunde, gern, denn die Prospekte sind sehr wichtig, deswegen bringe ich diese zum Gespräch gleich mit. Dann können wir gemeinsam herausstellen, was davon für Sie besonders nutzvoll ist.«

Ja, hier ist der Termin notwendig. Die Prospekte sind gut und wichtig, das will der Kunde hören, und wir sind noch wichtiger.

Von dilettantischer Hand wird diese Antwort meist viel schwächer formuliert.

»Herr Kunde, ja, aber die würde ich gern persönlich vorbeibringen.«

Dabei wird der Verkäufer zum Briefträger (nichts gegen diese wichtige Berufsgruppe!), der lediglich die Prospekte herbeischleppt (oder sie gar nur *vorbei*bringt).

Demjenigen, dem die erste Antwort zu »glatt« ist,
könnte folgende Antwort auf den Prospektwunsch besser gefallen.

> »Prospekte sind natürlich sehr wichtig für unser Gespräch. Deswegen schicke ich sie vorab, denn dann können Sie sich auf unser Gespräch etwas einstimmen und schon einige Fragen zusammenstellen. Wann paßt es Ihnen grundsätzlich besser, am... oder...?«

* Ist da die Park-Anlage draußen gemeint...?

Wiederholung des 2. Einwandes durch den Kunden: *»Nein, nein, schicken Sie ruhig erst mal die Prospekte!«*

Jetzt bleibt uns nichts mehr anderes übrig als den Kundenwunsch zu erfüllen. Wir müssen sie schicken. Per Post. Machen wir aber jetzt nicht den großen Fehler, genau das gleiche zu tun wie die meisten Firmen. Sie diktieren einen Brief, worin steht, daß »man sich für das gezeigte Interesse freue und wie gewünscht, in der Anlage* das Prospektmaterial überreiche. Man würde sich auf die erneute Kontaktaufnahme des Kunden sehr freuen.«

Schicken wir den Prospekt *ohne* den Brief. Denken wir wieder an die 6-A-Regel (Kapitel 2).

Schreiben wir bevor wir den Prospekt abschicken vorne auf den Prospekt den Namen des Kunden hin, mit der Bitte, insbesondere Seite 4 zu beachten. Abbildung auf der folgenden Seite.

Auf Seite 4, wo möglichst ein Berechnungsmodell unseres Angebotes steht, schreiben wir oben drauf: »Hier, Herr Heinze, rufen Sie mich doch gleich an. Telefon 07141/ . . .

Wir werden überrascht sein. Erstens bekommt der Kunde den Eindruck: Der gehört mir. Und zweitens schlägt er sicherlich Seite 4 auf. Wenn dann nur 7 von 10 angesprochenen Kunden anrufen, hat sich die Aktion schon gelohnt.

Kunde:	»Ich soll Sie anrufen.«
Verkäufer:	»Ja, danke für Ihren Anruf. Haben Sie die Be rechnung schon für Ihren eigenen Bedarf durchgeführt?«
Kunde:	»Nein, das ist doch viel zu kompliziert.«
Verkäufer:	»Vereinbaren wir doch gleich einen Termin, dann machen wir die Berechnung gemeinsam: Paßt Ihnen der Dienstag, um 10 Uhr?«

Herrn Manfred Müller, wichtig für Sie: S. 12 + 20
Ihr
Erich N. Detroy

ERICH-NORBERT DETROY

Verkäufertraining

Inhaltsverzeichnis

Titelblatt

Herr Müller,
wenn Sie diese Seite lesen,
bitte, rufen Sie mich an.
Tel. 02161/531224.

Themen des Verkaufs-Trainings	Primäre Vermittlung von Wissen (W) oder Können (K)	Primäre didaktische Methode: Vortrag	Gruppendiskussion	Lehrgespräch	Rollenspiel/-Analyse	Fallstudie
1. Systematische Marktdurchdringung						
– Potentialerfassung	W	x				x
– Einteilung von Unterbezirken	W	x				x
– Kundenkartei	W	x				
– ABC-Analyse	W	x				x
– Berichtswesen	W	x				
2. Besuchs- und Tourenplanung						
– Planbarkeit des Kunden	W	x	x			x
– Techniken der Reiserouten-Planung	W					x
– Verkauf der Planung an den Kunden	W/K				x	
Besuchsvorbereitung						
Kunden-Analyse						
...rächszielsetzung						

Seite 2o

3. Einwand

Machen Sie mal ein Angebot!

Wie kann ein Angebot geschickt werden, wenn wir den tatsächlichen Bedarf und die Einflüsse des Kunden nicht kennen? Kaum. Deswegen antworten wir

> »Herr Kunde, das war auch meine Absicht, vorher sollten wir analysieren welche Alternative bzw. welche Kombination Ihnen den größten Nutzen spendet. Wann paßt Ihnen der Besuch am besten . . .?«

Wichtig ist hierbei, daß wir nach unserer Antwort keinen Zweifel lassen, daß dies ohne Besuch nicht geht. Darum machen wir ohne Pause gleich danach den erneuten Terminvorschlag.

Bitte, nicht lange herumfaseln.

»Tja, ein Angebot, das wäre möglich, ober wollen Sie mich vorher nicht kennenlernen?«

»Nein, aufgrund des Angebotes kann ich dann weitersehen«, wird die Antwort sein.

4. Einwand

Sie sind zu früh dran!

Dieser Einwand ist nur durch ein Wort negativ geworden. Es ist das Wort »zu«.

Würde der Kunde sagen, »Sie sind aber früh dran«, meinte er dies positiv. Was können wir daraus machen?

»Herr Kunde, ja wir sind sehr früh dran. Jetzt können wir noch in Ruhe die Entscheidung vorbereiten. Wann paßt Ihnen...«

Verwenden wir nicht die schwerfällige eigene Organisation als Notwendigkeit sich so früh zu treffen:

»Herr Kunde, zu früh nur aus Ihrer Sicht, bedenken Sie, daß bei uns hausintern viel vorbereitet und noch disponiert werden muß...«

Dann schlägt der Kunde die Hände über dem Kopf zusammen und resigniert...

5. Einwand

Ich rufe wieder zurück!

Es soll Verkäufer geben, die auf einen vor 10 Jahren zugesagten Rückruf noch heute warten. Lassen wir uns auf dieses – vielleicht sogar ehrlich gemeinte – Argument nicht ein. Behalten wir die Initiative.

> »Herr Kunde, das freut mich. Da ich meist unterwegs bin, habe ich eine Bitte. Ich darf doch unbesorgt wieder anrufen, wenn Sie mich bis in 10 Tagen noch nicht erreicht haben?«
>
> »Selbstverständlich.«

Ja, da kann sich kein Kunde verschließen. Diese menschliche Bitte kann man nicht ablehnen.

Bitte, deswegen nicht arrogant antworten

»Herr Kunde, das übernehme ich. Ich bin viel unterwegs, sie würden nur vergeblich anrufen. Ich melde mich in einigen Tagen wieder.«

Klar, daß sich der Kunde dann verleugnen läßt oder eine hieb- und stichfeste Gegenwehr parat hat.

Wenn wir schon eine »härtere« Tour fahren wollen, dann so

> »Herr Kunde, ich verstehe, lassen Sie uns heute den Termin nur mit Bleistift festhalten. Und wenn Sie dann erkennen, daß es bei Ihnen nicht klappt, dann rufen Sie doch bitte kurz vorher an. Einverstanden mit dem ...?!«

Kein Bedarf!

Kann sein, daß der Kunde keinen Bedarf erkennt, keinen haben will oder noch keinen hat. Oft geht es auch noch gar nicht darum. Denn eine wichtige Aufgabe für uns als Verkäufer ist es doch, *Bedarf zu wecken!*

Doch so können wir es unserem Kunden nicht sagen. Also wie dann:

»Herr Kunde, ich verstehe Sie. Darum geht es in dieser Phase auch nicht. Aber dann, wenn ein Bedarf entsteht, wollen Sie als routinierter Einkäufer sofort die beste Quelle kennen. Deswegen schlage ich vor, daß wir uns am Dienstag um 10 Uhr treffen.«

Verlegener oder gar verschlagener, deswegen unsicherer und leichter abwimmelbar werden wir, wenn wir sagen

»Herr Kunde, keinen Bedarf, tja, heute noch, das könnte aber anders werden.«

7. Einwand

Kein Interesse!

Interesse kann der Kunde oft noch nicht haben, wenn er uns und unser Angebot noch nicht kennt. Die Ureinwohner Australiens tragen noch heute keine Uhr. Es fehlt ihnen einfach das Interesse für die Zeit und das Leben mit der Zeit. Und viele wissen nicht, daß es so etwas gibt, andere wieder haben kein Geld.

Doch unser Kunde hat Geld, will es zumindest verdienen. Das kann er meist mit oder durch unsere Produkte.

> »Verstehe, Herr Kunde, doch was würden Sie sagen, wenn es eine Möglichkeit gäbe, bei gleichem Zeiteinsatz mehr Geld zu verdienen?«

Unser Kollege ignoriert hier den Kein-Interesse-Einwand, lotst den Kunden auf ein in der westlichen Welt tief verwurzeltes Interesse, »mehr Geld verdienen«.

Überlegen wir vorher, welches wichtigste Motiv unsere Produkte für unsere Kunden befriedigen könnte. »Zeit gewinnen«, »Ärger verringern«, »Personalengpässe beseitigen« ... Sprechen wir es dann an.

8. Einwand

Habe keine Zeit!

»Keine Zeit haben« gibt es nicht. Jeder hat Zeit, 24 Stunden täglich. Die Frage ist hier nur, ob er Zeit für unser Produkt hat. Machen wir daraus einen Bumerang, lassen wir ihn mit unserem Produkt Zeit sparen.

> »Herr Kunde, wir brauchen auch nur wenig Zeit. Lassen Sie uns dann gleich untersuchen, wie Sie mit unserem System Zeit sparen können.«

Wenn unser Produkt oder unser Service jedoch nicht in der Lage ist, Zeit zu sparen, müssen wir uns etwas anderes einfallen lassen.

> »Herr Kunde, wir brauchen auch nur wenig Zeit. Und dann bestimmen Sie selbst, ob eine Fortführung oder eine weitere Runde notwendig ist. Wann paßt es Ihnen...«

Oft hören wir hier Verlegenheitsbegründungen, wie

»Herr Kunde, ich werde Ihre kostbare Zeit nicht lange in Anspruch nehmen, Sie nicht lange belästigen.«

Oder

»Herr Kunde, es dauert nur 7 Minuten, dann bin ich wieder draußen.«

9. Einwand

Habe schlechte Erfahrungen gemacht!

So bedauerlich das ist, so kann es doch wahr sein. Analysieren wir zuerst, ob er schlechte Erfahrungen mit uns oder mit anderen Firmen der Branche gemacht hat.

Meint er uns, dann

> »Herr Kunde, das ist bedauerlich, zumal bei Ihnen. Dann verstehe ich auch, daß Sie nichts kaufen würden solange dieser Mangel noch besteht. Stimmt's?«
>
> (Kunde bestätigen lassen)
>
> »Deswegen, Herr Kunde, möchte ich Sie bitten, mir persönlich die Chance zu geben, das Problem selbst in die Hand zu nehmen. Denn wo so etwas existiert, ist es mein Bestreben, dies abzustellen. Wann paßt es ...«

Kaum ein Kunde wird jetzt noch »Nein« sagen, eine menschlich vorgetragene Bitte wird gestattet.

Jetzt aber der Fall, wo der Kunde die Branche verunglimpft, nur weil er mit einzelnen Wettbewerbern auf die Nase fiel.

> »Herr Kunde, das tut mir sehr leid. Denn so etwas hätte nicht passieren dürfen. Leider gibt es in jeder Branche schwarze Schafe.
>
> Deswegen ist ein Gespräch noch wichtiger für Sie, denn dann können Sie gleich kritisch vergleichen und beurteilen, wie gut unsere Projekte sind. Wann wäre das möglich, am Dienstag ...«

10. Einwand

Der härteste...
Sie sind zu spät dran!

Das heißt, andere waren schneller und haben den Auftrag. Haben Sie ihn wirklich, oder hat der Kunde vor, den Auftrag erst zu vergeben? Das müssen wir feststellen, indem wir es ihn fragen

> »Herr Kunde, haben Sie den Auftrag schon diktiert?«
> »Längst.«
> »Aber er dürfte noch nicht bei dem potentiellen Lieferanten sein!?«
> »Nein, noch nicht, aber in 2 Tagen.«
> »Herr Kunde, dann habe ich die Bitte, daß Sie mir persönlich eine Chance geben, denn wahrscheinlich habe ich dann einen Termin versäumt. Ich kann mir nämlich kaum denken, daß mein Angebot so schlecht ist. Kann ich Sie gleich heute...«

Nehmen wir wie dieser Kollege die Schuld voll auf uns als Berater, nehmen wir sie weg von unserer Firma. Vielleicht wird der Kunde zugänglich und schickt den Auftrag noch nicht weg.

Bei sehr selbstsicheren Partnern oder wenn der Auftrag einen langen kundeninternen Instanzenweg hinter sich hat, haben wir allerdings kaum eine Chance.

3.4 Beispiele erfolgreicher Terminvereinbarungsgespräche

In den vorangegangenen Kapiteln haben wir uns mit den einzelnen Elementen der Terminvereinbarungstechnik gründlich auseinandergesetzt. Manchem Leser könnte nun entweder der Überblick verloren gegangen oder der Gesamtzusammenhang noch nicht schlüssig geworden sein.

Deswegen werden wir in diesem Kapitel einige Praxisbeispiele von Dialogen mit Kunden wiedergeben, die erwiesenermaßen als beispielhaft gelten können.

Beispiel 1: Investitionsgüter an Behörden verkaufen

Ein Verkaufsingenieur für *Fahrtreppen* der Firma »Liftco« versucht bei einem städtischen Bauamt, das seither nur Treppen Marke »Hinauf und Co.« einplante und auch für den Kauf sorgte, ins Geschäft zu kommen.

Es gibt einen aktuellen Anlaß: Ein projektiertes U-Bahnprojekt, wobei es gilt, für mehrere U-Bahnstationen insgesamt 28 Fahrtreppen einzuplanen. Der zuständige Konstrukteur ist noch unbekannt.

Telefon:	Klingeling!
Kunde:	»Städtisches Bauamt. Sie wünschen?«
Verkäufer:	»Guten Tag, mein Name ist Elan, Fritz Elan. Fräulein ich habe eine Bitte, wo Sie mir bestimmt weiterhelfen können.«
Kunde:	»Und welche?«
Verkäufer:	»Sagen Sie, wer ist bei Ihnen für die Konstruktion von Fahrtreppen und Aufzügen verantwortlich?«
Kunde:	»Das ist der Schnitzler.«
Verkäufer:	»Ah, danke, Herr Schnitzler, wie man's spricht?«
Kunde:	»Ja, genau.«
Verkäufer:	»Herr Schnitzler ist dann wohl der Leiter der???«
Kunde:	»...der Abteilung für Aufzüge- und Fahrtreppen-Planung.«
Verkäufer:	»Ah, dankeschön, da haben Sie mir sehr geholfen. Dann habe ich noch eine Bitte, wenn ich ihn anschreibe, wie ist denn seine Adresse?«

Kunde:	»Ganz einfach, Stadtverwaltung, Abteilung E 100.«
Verkäufer:	»Und die Rufnummer, die Durchwahl meine ich?«
Kunde:	»234 856.«
Verkäufer:	»Oh, vielen Dank, Sie haben mir einen großen Gefallen getan. Vielen Dank. Auf Wiederhören.«
Kunde:	»Auf Wiederhören.«

Natürlich hätte sich hier Fritz Elan gleich weiterverbinden lassen können. Aber er bevorzugte einen anderen Weg, vielleicht braucht er auch nur Zeit, um sich neu auf den Anruf konzentrieren zu können. Den macht er jetzt.

Telefon:	Klingeling.
Kunde:	»Schnitzler.«
Verkäufer:	»Guten Tag, Herr Schnitzler, mein Name ist Elan, von der Fahrtreppenfirma Liftco, Fritz Elan.«
Kunde:	»Ah, von Liftco!« »Daß Sie sich einmal melden ...«
Verkäufer:	»Ja, Herr Schnitzler, wir kennen uns noch nicht persönlich, was ich sehr schade finde, zumal ich weiß, daß Sie für die Planung aller Fahrtreppen und Aufzüge in der Stadt verantwortlich sind. Das stimmt doch, oder?!«
Kunde:	»Stimmt, wie kann ich Ihnen helfen?«
Verkäufer:	»Herr Schnitzler, in einiger Zeit wird für Sie das U-Bahnprojekt im Süden akut ...«
Kunde:	»Ja, das hat aber noch viel Zeit!«
Verkäufer:	»Stimmt, deswegen rufe ich heute rechtzeitig an, weil ich Ihnen vorher gerne etwas zeigen möchte, was Ihnen Ihre Planung erleichtern dürfte.«
Kunde:	»Was ist das denn?«
Verkäufer:	»Es handelt sich um ein System, womit Sie einerseits bei der Planung bereits Zeit sparen und andererseits ermöglicht dieses System eine höhere Flexibilität beim Einbau der Fahrtreppen.«
Kunde:	»Kenn ich schon. Übrigens, wir haben beste Erfahrungen mit Hinauf und Co., da können wir uns auf den Service verlassen.«
Verkäufer:	»Mir ist bekannt, Herr Schnitzler, daß Sie sich im Fahrtreppen-Sektor hervorragend auskennen. Deswegen

	schlage ich vor, daß ich Sie besuche, um das Liftco-System zu zeigen, dann können Sie gleich kritisch vergleichen. Paßt Ihnen der Dienstagvormittag gegen 10 Uhr?«
Kunde:	»Wissen Sie, was mir besser paßt?«
Verkäufer:	»Was?«
Kunde:	»Schicken Sie erst mal Unterlagen, dann kann ich schon selbst sehen, was das ist.«
Verkäufer:	»Sie haben recht, die Unterlagen sind sehr wichtig, die bringe ich dann auch gleich mit, dann können wir in kürzester Zeit die Vorteile für Sie klar herausarbeiten. Dienstagvormittag, ist das auch für Sie günstig?«
Kunde:	»Mhm, Dienstag? Also einverstanden, 10 Uhr, aber machen Sie es kurz.«
Verkäufer:	»Fein, ich bin am Dienstag, pünktlich um 10 Uhr, bei Ihnen. Und das Gespräch dauert selbstverständlich nur solange, wie Sie es für richtig halten. Auf Wiederhören.«
Kunde:	»Wiederhören.«

Gratuliere, dieses Gespräch führte trotz der Abwehrhaltung Schnitzlers zum Termin. Er brachte schließlich sieben Momente ins Gespräch, bei denen viele von uns straucheln würden.

Wir verzichten allerdings hier auf eine ausführliche Kritik, weil wir die in früheren Kapiteln nachlesen können.

Beispiel 2: Französische Herrenmode Marke Pierre

Diese französische Firma wurde früher auf dem deutschen Markt relativ schlecht vertreten. Unzuverlässige Auslieferung obendrein brachte ihr zusätzlich noch einen schlechten Ruf und die Verärgerung des Handels. Die Firma Pierre plant einen neuen Start, mit neuer Verkaufsmannschaft und jetzt zuverlässigem Belieferungsservice, wozu man in Paris eigens einen deutschsprachigen Disponenten einstellte. Per Telefon muß nun die deutsche Verkaufsmannschaft bei einem Kundenkreis akquirieren, bei dem man nicht mit offenen Armen zu rechnen hat.

Telefon: Klingeling.

Kunde: »Jet Set Shop Birker, guten Tag.«

Verkäufer: »Ja, hier Anton Brenner, spreche ich mit Herrn Birker selbst?«

Kunde: »Ja, ich bin selbst am Apparat.«

Verkäufer: »Herr Birker, hier spricht Brenner, Anton Brenner aus Stuttgart.
Wahrscheinlich kennen Sie mich noch, als ich noch im Einkaufsverband Nortex für Ihren Bereich zuständig war.«

Kunde: »Mag sein, ja, könnte sein.«

Verkäufer: »Herr Birker, weil ich aus dieser Zeit so gut beurteilen kann, wie wichtig für einen progressiven Textilhändler wie Sie gerade bei modischer Freizeitkleidung die zuverlässige Belieferung ist, habe ich mit meinen Kollegen ein neues System entwickelt, das ich Ihnen im Zusammenhang mit einer Kollektionsvorlage einer französischen Firma gerne zeigen möchte.
Wäre es Ihnen am Mittwochnachmittag möglich, da ist es doch meist etwas ruhiger im Geschäft.«

Kunde: »Ja, Mittwoch ginge schon.
Aber sagen Sie, was für eine französische Firma ist das denn?«

Verkäufer: »Es ist eine Firma, die eigens um Probleme der Vergangenheit zu lösen, jetzt sogar einen deutschsprachigen Disponenten eingestellt hat.
Es handelt sich, und das werden Sie kaum erwarten, um Pierre. Sie kennen ja deren sichere Hand für neue Modetrends.«

Kunde: »Ja, Modetrends, die haben die im Griff!
Aber die Auslieferung, nein, nicht mit mir. Letztes Mal bekam ich nur 20 % der bestellten Ware, und dann auch noch in falschen Dessins. Nein, nein, nein!«

Verkäufer: »Herr Birker, ich verstehe Ihre Reaktion. Ich wäre an Ihrer Stelle genauso verärgert. Lassen Sie uns deswegen gemeinsam untersuchen, warum es diese Pannen nicht mehr geben kann. Einverstanden?«

Kunde: »Ja, aber disponieren tu ich nicht!«

Verkäufer: »Nein, das werden Sie nur dann tun, wenn ich Sie von der heutigen Zuverlässigkeit überzeugen kann. Mittwoch, sagte ich, um 15 Uhr?«

Kunde: »O.k., 15 Uhr, am Mittwoch dann.«

Verkäufer: »Ja, bis Mittwoch dann, Herr Birker, ich freue mich, Sie selbst dann kennenzulernen, denn die hervorragende Lage Ihres Geschäftes ist mir bereits bekannt.
Auf Wiederhören.«

Kunde: »Auf Wiederhören.«

Puuh, nicht viel hätte gefehlt, dann wäre dieser Termin nicht zustande gekommen. Doch Anton Brenner hatte sein Gespräch und sich selbst in der Hand und sein Ziel fest vor Augen. Beim besten Kunden der Stadt, da mußte er wieder ein Bein reinkriegen.

Warum gelang es ihm?

Nun, es wäre töricht gewesen, wenn er gleich am Anfang lauthals Pierre vorgestellt hätte und versucht hätte, Pierre zu verkaufen. Er verkaufte sich! Was auch das einzig Richtige war. Er baute für sich Vertrauen auf: als Einkäufer zuständig für ihn, Sitz in Stuttgart, einer deutschen Stadt.

Danach versuchte er dem Kunden zu zeigen, daß man im gleichen Boot sitzt, also ein gemeinsames Interesse hat: »Ein System für zuverlässige Belieferung« wurde entwickelt. Und bevor er den Namen Pierre überhaupt erst erwähnte, sagte er »es handle sich um eine französische Firma, die eigens für die deutschen Kunden einen deutschsprachigen Disponenten eingestellt hätte«.

Und noch eine Idee: Er packte den Namen Pierre in zwei Vorteile ein. »Deutschsprachigen Disponenten« und »dessen sichere Hand für neue Modetrends«.

Und natürlich kannte er auch seine Antwort auf die sauere Reaktion des Kunden als dann der Pierre doch raus kam: »Ich wäre genauso verärgert« und »disponieren werden Sie nur, wenn Sie überzeugt sind«.

Beispiel 3: Kapitalanlagen an Ärzte verkaufen

Hier handelt es sich um eine besonders stark umworbene Kundengruppe, die deswegen bei einem Telefonanruf verständlicherweise mit einer ganzen Reihe von Vorwänden versucht, den Anrufer abzuwimmeln.

Die Firma Rendit vertreibt geschlossene Immobilienfonds, wobei sich die Kunden ab 20.000 Mark aufwärts beteiligen können. Kollege Hans Mall ruft Interessenten an, nachdem diese mit einer Postkarte um Informationsmaterial baten.

Telefon:	Klingeling.
Kunde:	»Müller.«
Verkäufer:	»Hier Hans Mall aus Esslingen. Spreche ich mit Herrn Doktor Kurt Müller?«
Kunde:	»Ja, das bin ich!«
Verkäufer:	»Herr Doktor Müller, Sie baten uns um Informationen über unser Projekt in Essen.«
Kunde:	»Stimmt.«
Verkäufer:	»Herr Doktor Müller, Sie sind ein Facharzt, der wahrscheinlich immer wenig Zeit für solche Dinge hat.«
Kunde:	»Stimmt genau.«
Verkäufer:	»Deswegen rufe ich an, damit ich Ihnen eine Möglichkeit vorschlagen kann, womit Sie in kürzester Zeit voll und ganz informiert sind und sich selbst ein abgerundetes Bild verschaffen können. Das ist doch auch in Ihrem Interesse?«
Kunde:	»Ja, schicken Sie mir deswegen nur die Unterlagen!«
Verkäufer:	»Ja, sehr gerne, denn die Unterlagen sind sehr wichtig. Ihre persönliche Situation, Herr Doktor Müller, ist noch wichtiger. Deswegen schlage ich vor, daß wir aufgrund der von mir mitgebrachten Analyseunterlagen gleich die Vorteile für Sie herauskristallisieren. Würde Ihnen dazu der Mittwochnachmittag passen, wenn die Praxis zu ist, oder lieber ein Abend bei Ihnen zu Hause?«
Kunde:	»Weder noch. Mittwochs spiele ich immer Tennis und abends will ich meine Ruhe haben.«
Verkäufer:	»Welcher Tag würde Ihnen dann am besten passen? Mehr am Anfang der Woche oder mehr gegen Ende der Woche?«
Kunde:	»Wissen Sie was, kommen Sie am Freitag, gleich nach Praxisschluß um 13 Uhr, dann habe ich noch eine halbe Stunde für Sie Zeit.«

Verkäufer: »Ja, Freitag, ist ein guter Termin, dann kann man anschließend froh gestimmt ins Wochenende gehen. Ich bin pünktlich um 13 Uhr da.
Noch eine Bitte, wo läßt sichs bei Ihnen am besten parken?«

Kunde: »Fahren Sie in die Tiefgarage Georgstraße bei Privatmieter rein, stellen Sie sich auf Platz 27, ich bin doch meistens zu Fuß da.«

Verkäufer: »Oh danke, das ist ein Vorzug.
Herr Doktor Müller, ich freue mich auf das Gespräch. Bis Freitag dann, 13 Uhr. Auf Wiederhören!«

Kunde: »Ja, mir ist es auch recht. Bis Freitag dann. Ciao.«

Hans Mall wußte, daß der häufigste Einwand »keine Zeit« ist. Deswegen nahm er ihn vorweg, sprach von wenig Zeit und leitete daraus die Notwendigkeit für einen Termin ab.

Wichtig ist auch die Situation, in der der Kunde bei den ersten Terminvorschlägen keine Zeit hat. Dabei lockerte Hans Mall etwas die Zügel, gab dem Kunden mehr Spiel bei der Auswahl, »Anfang oder Ende der Woche«, was dann auch zum Erfolg führte, als er den Kunden so um dessen Mithilfe bat.

Beispiel 4: Die Sekretärin ist für Termine zuständig

Es bürgert sich in der Wirtschaft immer mehr ein, daß Sekretärinnen für die Termine ihrer Chefs verantwortlich sind, was auch zu begrüßen ist. Schade nur, daß viele Männer dies nicht akzeptieren wollen oder können.

Auf *keinen* Fall darf das Gespräch so laufen

Telefon: Klingeling.

Sekretärin: »Sebald, Sekretariat Direktor Specht.«

Verkäufer: »Ja, ich hätte mal gerne den Herrn Direktor gesprochen.«

Sekretärin: »Um was handelt es sich?«

Verkäufer: »Ja, um eine Sache, die ich mit Herrn Direktor persönlich besprechen muß.«

Sekretärin: »Es tut mir leid, er ist nicht zu sprechen.«

Verkäufer: »Danke, ich melde mich später wieder.«

Wie viel schöner ist es doch, wenn wir die Sekretärin gleich zu unserer Bundesgenossin machen!

Telefon: Klingeling.
Sekretärin: »Sebald, Sekretariat Direktor Specht.«
Verkäufer: »Guten Morgen, Frau Sebald, mein Name ist Fink, Fink von der Normalia-Gesellschaft in Mainz. Kann ich bitte Herrn Direktor Sprecht sprechen?«
Sekretärin: »Um was handelt es sich?«
Verkäufer: »Es geht um die *Rückgewinnung von Energie* Ihrer Schornstein-Abgase.«

Nun kann die Sekretärin verbinden, weil Sie Herrn Specht gleich sagen kann, was Herr Fink von ihm will.

Was aber tun, wenn der gewünschte Gesprächspartner nicht zu sprechen ist?

Sekretärin: »Tut mir leid, Herr Direktor Specht ist nicht da. Kann ich etwas für Sie ausrichten?«
Verkäufer: »Frau Sebald, Sie kennen den Terminkalender von Herrn Direktor Specht sicherlich gut und sind vielleicht sogar verantwortlich?!«
Sekretärin: »Stimmt.«
Verkäufer: »Deswegen bräuchte ich in dieser für Herrn Direktor Specht wichtigen Angelegenheit Ihre Unterstützung. Was wäre aus Ihrer Sicht ein geeigneter Zeitpunkt, um mit Herrn Direktor Specht für eine halbe Stunde in Ruhe einige Ideen durchzusprechen?«
Sekretärin: »Am Montagmorgen, da ist Herr Direktor Specht meist schon um 7.30 Uhr im Büro. Soll ich für Sie gleich 8 Uhr reservieren?
Verkäufer: »Paßt mir gut, Frau Sebald. Ich werde pünktlich um 8 Uhr da sein. Und ich werde noch etwas tun, ich werde Herrn Specht vorab eine Informationsmappe schicken. Wenn Sie ihm diese mit einem Hinweis von Ihnen über die Wichtigkeit überreichen könnten, wäre ich Ihnen sehr dankbar.«
Sekretärin: »Werde ich gerne tun. Auf Wiederhören.«
Verkäufer: »Auf Wiederhören, Frau Sebald.
Und beste Grüße an Herrn Direktor Specht.«

Der Erfolg dieses Gespräches ist dann wohl auch darin zu sehen, daß die Sekretärin hier voll respektiert und aufgewertet wurde: »Sie kennen den Terminkalender und sind sogar verantwortlich«. Sie dann im eigenen Sinne bitten, mitzuhelfen, gelang, weil hier auch etwas Mutterinstinkt angesprochen wurde.

Beispiel 5: Anruf nach einer Messenotiz

Die *Lüfterfirma* Silentair stellte auf einer *Sanitärmesse* aus, womit hauptsächlich Installationsbetriebe für Klima- und Lüftungsbau angesprochen wurden. Man hielt die Adressen der Interessenten fest und versprach eine persönliche Beratung nach der Messe. Nun kann es oft passieren, daß sich die Interessenten nicht mehr interessieren oder daran erinnern.

Spielen wir mal den Fall als Dialog durch.

Telefon:	Klingeling.
Kunde:	»Klempnerei Fritz und Fratz.«
Verkäufer:	»Guten Morgen, hier Silentair, kann ich bitte mit Herrn Fritz senior verbunden werden?«
Kunde:	»Bin ich.«
Verkäufer:	»Ah, Herr Fritz, mein Name ist Klingenberg, Sie waren bei uns auf dem Stand der Silentair.«
Kunde:	»Jetzt auf der Sanitärmesse?«
Verkäufer:	»Ja, Sie sprachen mit meinem Kollegen Schuster... Sie erinnern sich?«
Kunde:	»Kann sein, hab ich schon vergessen. Um was geht's?«
Verkäufer:	»Herr Fritz, Sie fragten damals, wie es wohl möglich ist, so leise Ventilatoren herzustellen...«
Kunde:	»Ah, ja, das war das!«
Verkäufer:	»Und dazu wollte ich Ihnen gerne etwas zeigen, was für Sie als Sanitärfachmann eine erhebliche Arbeitserleichterung und Montageersparnis sein könnte. Wann kann ich da zu Ihnen kommen? Ich könnte beispielsweise morgen Nachmittag noch, oder wollen Sie das Gespräch lieber nach Feierabend führen?«
Kunde:	»Nein, kommen Sie morgen Nachmittag, da habe ich sowieso einen Bürotag.«
Verkäufer:	»Einverstanden, ist Ihnen 14 Uhr recht?«

Kunde: »Ich bin immer da.«
Verkäufer: »Prima, ich werde pünktlich 14 Uhr da sein! Ich freue mich auf ein Kennenlernen.«
Kunde: »Wiederhören.«

Wir haben es aus den Zeilen herausgelesen, der Kunde war kurz angebunden, etwas mürrisch und wollte nicht so recht. Doch Kollege Klingenberg griff zu einer bewährten Methode: Er sprach gemeinsame Vergangenheit und gezielt die Aussagen des Herrn Fritz an. Das konnte seine Wirkung nicht verfehlen, weil so Herrn Fritz indirekt gesagt wurde, daß man ihn sehr schätze. Denn wer weiß denn schon noch nach all dem Messetrubel, was da im einzelnen war und wer was gesagt hat?

Bei Silentair gibt es allerdings ein hervorragendes Messeberichtsblatt, wobei der Kollege von Klingenberg gleich den Ansprechtip für die telefonische Terminvereinbarung mitteilt.

Beispiel 6: Höchster Chef delegiert weiter

Eine alte und immer wieder bewährte Verkäuferregel lautet: Bei Schmidt anfangen, nicht bei Schmidtchen!

Und doch wird sie immer wieder umgangen. Man spricht als erstes zu oft Schmidtchen an und läßt sich von unten nach oben tragen. Doch was der Chef nicht selbst entdeckt hat, ist nur halb so viel wert*.

Deswegen: Fangen wir oben an, lassen wir uns notfalls nach unten weiterreichen. Das zündet mehr, denn man möchte dem Chef ja keinen Ärger machen.

Bei unserem Fall geht es um die Verlagerung der *Wartungs- und Instandsetzungsarbeiten* auf einen externen Spezialistentrupp, der dies im Werkvertragsverhältnis leistet.

Telefon: Klingeling.
Kunde: »Maschinenfabrik Genie AG.«
Verkäufer: »Bitte, verbinden Sie mich mit Ihrem technischen Vorstand, Herrn Diplom-Ingenieur Schindler.«
Kunde: »Moment –«
»Frau Schleifer, Sekretariat des technischen Vorstandes.«
Verkäufer: »Guten Morgen Frau Schleifer. Hier spricht Metzger,

* Dies gilt nicht für fortschrittliche Chefs, die gerade auf die kreative Leistung ihrer Mitarbeiter bauen.

Peter Metzger, vom INWA-Service für die Industrie. Kann ich bitte mit Herrn Schindler verbunden werden?«

Kunde: »In welcher Angelegenheit?«

Verkäufer: »Wir haben Herrn Schindler über das sehr wichtige Thema betriebliche Gemeinkosten besser kontrollieren und steuern geschrieben.«

Kunde: »Welche Firma?«

Verkäufer: »INWA-Service, mein Name ist Peter Metzger.«

Kunde: »Moment, ich höre mal nach –
Schindler.«

Verkäufer: »Guten Tag, Herr Schindler, hier spricht Metzger, Peter Metzger von der INWA-Service.
Herr Schindler, Sie haben sicherlich unseren Beratungsbrief über das Thema ›Betriebliche Gemeinkosten besser steuern können‹ erhalten?«

Kunde: »Ja, da war was. Aber gelesen habe ich das noch nicht. Da kommt so viel Mist, wenn man das alles lesen müßte ...«

Verkäufer: »Deswegen rufe ich an, denn Zeit ist Geld.
Herr Schindler, als Technischer Vorstand sind sie bestimmt immer daran interessiert, beispielsweise auch die Kosten Ihres hausinternen Wartungs- und Instandsetzungstrupps zu reduzieren. Stimmt's?«

Kunde: »Das kann man wohl sagen. Diese Daten lasse ich mir monatlich vorlegen.«

Verkäufer: »Die INWA, von der ich komme, Herr Schindler, beschäftigt sich kommerziell mit der Frage und lebt davon, daß sie Ihnen Zeit und Geld spart. Dazu möchte ich Ihnen gerne unser System zeigen und gemeinsam mit Ihnen untersuchen, wo Ihre spezifiischen Problemlösungen wären.«

Kunde: »Um was geht es konkret?«

Verkäufer: »Exakt formuliert um die Verlagerung der Wartungs- und Instandsetzungsarbeiten auf einen externen und daher von den Kosten besser steuerbaren hochspezialisierten Trupp.«

Kunde: »Gute Idee, aber dafür ist mein Betriebsleiter verantwortlich.«

Verkäufer: »Heißt das, daß ich mich bei ihm auf das Gespräch mit Ihnen beziehen kann, Herr Schindler?«

Kunde: »Selbstverständlich, zuständig ist da Herr Manner vom Bereich BE.«

Verkäufer: »Danke für diese Information. Herr Schindler, es ist doch sicher so, daß Sie über den jeweiligen Stand der Dinge informiert bleiben wollen?«

Kunde: »Und ob!«

Verkäufer: »Dann werde ich mir erlauben, Sie etwa alle 2 Wochen am Anfang, später alle 4 Wochen anzurufen, um Sie persönlich zu informieren.«

Kunde: »Einverstanden. Tun Sie das.«

Verkäufer: »Gut, ich melde mich jetzt bei Herrn Manner. Dankeschön, Herr Schindler, und auf Wiederhören.«

Kunde: »Auf Wiederhören.«

Das nächste Gespräch mit dem Betriebsleiter müßte jetzt schon total danebenlaufen, wenn es nicht zum Termin käme.

Der Verkäufer hat alle Register der professionellen Kundenbearbeitung erfolgreich gezogen. Alle haben genügend Grund, glücklich und zufrieden mit dem Ablauf zu sein.

Und dadurch, daß der technische Vorstand informiert bleiben möchte und der Verkaufsingenieur dies noch selbst tut, gibt es auch während der Beratung alle Chancen. Denn Manner, der Betriebsleiter, weiß ja, daß der technische Vorstand ein Interesse daran hat.

Es war auch gut, daß das Gespräch über den ranghöchsten Techniker lief. Denn wenn in der Hierarchie dazwischen stehende Mitarbeiter Auskunft über Zuständigkeiten geben sollen, könnten (auch das ist schon häufig passiert) aus Rivalitätsgründen Falschinformationen gegeben werden.

Beispiel 7: Anruf auf eine Empfehlung hin

Ein *Versicherungs*repräsentant bittet nach seinen Besuchen grundsätzlich den Kunden, ihn weiterzuempfehlen. Das gelingt ihm natürlich besonders gut nach erfolgreicher Beratung und einem Abschluß. Beim Anruf sollte er nach Möglichkeit *nicht* den Empfehlenden zu sehr zum Verbündeten machen.

»Herr Maier meint, daß gerade auch Sie eine solche Versicherung bräuchten.«

Denn dabei kann leicht herauskommen: »Was Maier meint ist mir wurscht, und übrigens, wie kommt der eigentlich dazu, meinen Namen zu erwähnen? Dem werde ich ...«

Mit einer Empfehlung muß man viel vorsichtiger hantieren, sonst zerplatzt sie wie eine Seifenblase.

Telefon: Klingeling.
Kunde: »Möller.«
Verkäufer: »Guten Abend Herr Möller, mein Name ist Schulze, Konrad Schulze, ich rufe Sie an, weil wir einen gemeinsamen guten Bekannten haben ...«
Kunde: »Wen?«
Verkäufer: »Kennen Sie Herrn Meier, Peter Meier, in Plochingen?«
Kunde: »Ja, den kenne ich gut. Wir spielen einmal wöchentlich zusammen Faustball. Ja, sagen Sie, wie kommt denn der dazu ...?«
Verkäufer: »Ja, gestern Abend saß ich bei ihm, um ihn über die Versorgungslage seiner Familie zu beraten. Und ganz spontan kam ihm über die Lippen, daß das doch auch Sie interessieren müßte.«
Kunde: »Ah, so, Sie sind Versicherungsvertreter.«
Verkäufer: »Streng genommen ja, doch wenn ich nur eine Versicherung verkaufen wollte, wäre Ihre Zeit zu schade.
Herr Möller, ich möchte auch Ihnen gerne .. «
(und jetzt kommt der Vorschlag)

Hier wurde der Empfehlende Herr Maier in eine angenehme Beziehung gebracht, die eine geschäftliche höchstens fördern kann. Noch viel besser wäre natürlich, wenn wir unseren Empfehlungsgeber so weit bringen könnten, daß er uns bei seinem Bekannten ankündigt.

Auf das Thema der Empfehlungen gehen wir noch intensiver in Kapitel 5 ein.

4. Kunden per Besuch gewinnen

4.1 Welches Ziel hat ein Erstbesuch?

»Erst mal abwarten, ruhig die Sache auf sich zukommen lassen.« Oder »Man weiß ja nie im voraus, was der Kunde tatsächlich braucht.« ... dies könnten zwei Grundeinstellungen vor dem Erstbesuch sein, doch helfen sie uns tatsächlich weiter?

Sicher, mit diesen Verhaltensmustern bleiben wir offen und für jeden Kundenwunsch ansprechbar, werden kaum lästig oder gar aufdringlich. Unser Gespräch wird völlig unverbindlich. Aber, kann es sogar sein, daß wir gerade wegen dieser abwartenden Einstellung unsere Chancen erst gar nicht erkennen? Und ist es sogar möglich, daß wir *nur* beraten und uns dann der nötige Ehrgeiz fehlt, auch möglichst schnell zum Abschluß zu kommen? Sicherlich!

Ohne konkrete Zielsetzung können wir sicher auch erfolgreich sein, sofern der Zufall mithilft. Zufall ist aber Glück. Und viel Glück hat eigentlich nur der Tüchtige.

Tüchtig sein heißt fleißig sein. Doch unser Fleiß kann erst dann besonders effektiv sein, wenn wir verstehen ihn auch noch zu kanalisieren, zu richten und zu organisieren. Kurz, unser Einsatz braucht ein Ziel. Nur dann können wir unsere Kräfte konzentrieren. Ohne konkretes Ziel müssen wir überall im Leben mehr Aktivität aufbringen, um etwas zu erreichen, weil einfach überflüssige Arbeit so kaum zu vermeiden ist.

Am besten lassen wir wieder ein Beispiel sprechen.

Nehmen wir an, wir wollen heute eine Wanderung von A-Dorf nach F-Dorf über B-Dorf, C-Dorf und E-Dorf machen. Der Weg ist geplant über Feldwege, durch Wälder und hie und da benötigen wir eine Querfeldein-Abkürzung, um die Strecke überhaupt zu schaffen. Nach zwei Drittel der Zeit, wir schauen gerade auf die Uhr, stellen wir fest: Orientierung verloren.

Frage: Was tun? Wenn wir jetzt nach Gutdünken und Intuition einfach die Hand hochhalten und sagen, »Dahin muß es gehen«, können wir Glück haben. Oder Pech. Nehmen wir Pech an, was ist dann die Folge? Wir werden nach einer weiteren halben Stunde nervös und beginnen schneller zu laufen, wir hetzen uns ab. Und nur weil wir das Ziel aus den Augen verloren haben.

Deswegen gibt es im Moment eines Orientierungsverlustes bei einer Wanderung eigentlich nur eines: Stehen bleiben, Plan aufschlagen, Standort suchen und finden, das Ziel wiederfinden und danach erst die Strecke zwischen Standort und Ziel neu festlegen. Nur so können wir unsere Kräfte konzentrieren.

Und ein Verkaufsgespräch ist wie eine Wanderung. Ohne Ziel irren wir lustlos durch die Gegend und kommen nach Hause ohne das eigentliche Erfolgserlebnis. »Donnerwetter, war das anstrengend, aber geschafft habe ich es!«

Legen wir deswegen vor jedem Kundengespräch, und insbesondere bei einem potentiellen Neukunden, genau unser Ziel, also das, was wir erreichen wollen, fest. Dann erst können wir planen, wie wir es erreichen wollen.

Welches Ziel können wir uns nun bei einem Neukundenbesuch stecken? Sicherlich ist »Sich vorstellen« ein Ziel, das als erbärmlich bezeichnet werden muß. Richten wir uns nach dem dänischen Sprichwort: »Setze dein Ziel immer eine Stufe höher als Du meinst erreichen zu können!«

In vielen Branchen haben wir die Meinung vertreten, man könne beim ersten Besuch noch nichts verkaufen, dazu brauche man mindestens zwei wenn nicht drei Besuche. Zweifeln wir doch im konstruktiven Sinne diese Meinung gleich an. Probieren wir es doch einfach mal, beim ersten Besuch zu verkaufen. Dann sparen wir nicht nur eigene Zeit, sondern auch die des Kunden und Kosten.

Sicherlich kann man aber nicht in jeder Branche gleich beim ersten Besuch verkaufen. Wir denken beispielsweise an Investitionsgüter, bei denen vorher erst gründliche Analysen betrieben werden müssen. Oder denken wir an den Verkauf an Betriebe, wo erst ein Einkaufsgremium über die Vergabe des Auftrages entscheiden muß. Hier sind dann andere Ziele zu setzen.

Ein Mindestergebnis jeden Besuches sollte sein, daß man sich über die weitere Fortentwicklung der Kundenbeziehung im klaren ist.

Vor Beendigung der Beratung müssen wir gemeinsam mit dem Kunden den weiteren Marschweg festlegen.

Verkäufer: »Herr Bachmeier, können wir am besten so verbleiben, daß ich jetzt prüfe, welche Finanzierungsmöglichkeit für Sie die günstigste ist...«
Kunde: »Ja, das wäre natürlich entscheidend!«
Verkäufer: »Herr Bachmeier, wäre es Ihnen dann möglich, von einem Mitarbeiter sämtliche Verbrauchswerte nachprüfen zu lassen und mir Bescheid zu geben?«
Kunde: »Ja, wird gemacht. Ich rufe Sie in 3 Tagen an.«

Hier merkt man, daß der Kunde gewillt ist mitzumachen. Er bietet seine Mitarbeit aber vielleicht nur deswegen an, weil auch der Verkäufer Engagement zeigt.

Machen wir uns vor jedem Erstbesuch Gedanken, was das Ziel sein muß. *Mindestziele* in der Summe sind

Vorstellung, Bedarfsweckung, Bedarfs-Erst-Analyse

Darüber hinaus sollten wir prüfen, ob es in unerer Branche oder von Fall zu Fall möglich ist, zu einem ersten (vielleicht noch kleinen) Auftrag zu kommen.

Denn erst wenn wir unser Ziel kennen, können wir uns über die Vorgehensweise Gedanken machen.

Ziel
↓
Methode

Die Taktiken, die ich dann während des Gespräches einsetze sind situationsbedingt, müssen aber letztendlich wieder das Ziel verfolgen.

4.2 Vorbereitungsmaßnahmen vor einem Erstbesuch

Wir können kommen, zu welchem Kunden wir wollen, immer wird er glauben und auch oft verbissen vertreten, daß bei ihm alles ganz anders sei als in anderen Unternehmen, Firmen, Filialen, ja sogar anders als bei der Kollegenabteilung in einem anderen Ort.

Woher kommt diese Meinung?

Zunächst ist sie natürlich wahr. Immer gibt es Unterschiede, vollkommen identisch sind keine zwei Unternehmen. Aber es gibt natürlich viele Parallelen zwischen den Firmen. Aber warum will man die nicht wahrhaben?

Die Gründe können sehr unterschiedlich sein. Vielleicht kennt unser Gesprächspartner nur sein eigenes Unternehmen. Oder er hat nur eine halbe Information über gleichgelagerte Firmen. Oder, was der gravierendste Grund wohl sein mag, er hat Angst, seine eigene Unkenntnis könnte aufgedeckt werden. Es ist ein gewisser Verteidigungstrieb. Deswegen bekommt der Kunde mit dem Satz »Bei uns ist alles anders« Oberwasser, einen gesprächstaktischen Vorteil der Undurchsichtigkeit vor uns.

Er hat es nun in der Hand uns zu glauben. Deswegen benötigen wir einige wirkliche Insider-Informationen über ihn und sein Unternehmen. Und die dürfen wir uns nicht von ihm geben lassen, weil wir so einen uninformierten Eindruck machen, den der Kunde als fehlendes Wissen interpretieren wird. Und wie kann er jemandem glauben, der kein Wissen hat?

Eine der wichtigsten Vorbereitungsmaßnahmen vor dem Besuch ist also, sich Informationen über das zu besuchende Unternehmen zu beschaffen.

Quellen gibt es da sehr viele: Industrie- und Handelskammern, ABC der deutschen Wirtschaft, Branchentelefonbuch, Messen.

Nutzen wir aber auch die Chance der Quer-Informationen über uns bereits bekannte Kontakte. Es könnte nämlich in unserem eigenen – privaten oder geschäftlichen – Bekanntenkreis jemanden geben, der etwas über dieses Unternehmen weiß. Oder vielleicht kennt einer unserer Bekannten jemanden, der über das Unternehmen etwas weiß. Überlassen wir solche Recherchen nicht dem Zufall, fragen wir professionell nach Quer-Informationen. Dem Autor dieses Buches hat dieses Verfahren schon sehr viele Vorteile in Form von Spontan-Vertrauen gebracht.

Und wenn wir niemand haben, den wir fragen können, dann rufen wir vorher einfach bei diesem Kunden an, sprechen den zu Besuchenden natürlich nicht selbst, sondern eine Abteilung, die uns Auskunft geben könnte: die PR-Abteilung, die Werbe-Abteilung, die Verkaufsabteilung oder auch Sekretärinnen, Telefonistinnen und der Portier.

Alle wissen etwas über ihr Unternehmen und alle freuen sich, endlich mal etwas gefragt zu werden. Wenn wir dabei höflich, zuvorkommend und ausgesucht freundlich sind, werden wir die gewünschten Informationen auch bekommen.

Die letzte Vorbereitungsmöglichkeit haben wir dann in der kurzen Wartezeit vor dem Gespräch. Schauen wir nach Firmenzeitschriften und Prospekten, die da oft im Besucherzimmer liegen, anstatt nach Illustrierten, die wir auch abends zu Hause lesen können. Verwickeln wir den Portier oder Sachbearbeiter oder die Sekretärin, die uns empfangen hat und bittet, noch für ein paar Minuten Platz zu nehmen, in ein unverbindliches Gespräch.

Sekretärin: »Nehmen Sie hier bitte noch einen Augenblick Platz, Herr Müller kommt gleich.
Darf ich Ihnen schon eine Tasse Kaffee bringen?«

Verkäufer: »Gerne. Oh, schön haben Sie es hier, da kann man sich ja wohl fühlen. Nicht?«

Sekretärin: »Ja, genau, deswegen bin ich ja hier.«

Verkäufer: »Genau, die Umgebung ist doch sehr wichtig für ein gutes Arbeitsklima. Sagen Sie, dieser Herr da auf dem Bild kommt mir bekannt vor ...«

Sekretärin: »Ja, das ist unser Einkaufsgeschäftsführer, Herr Flikkenwald.«

Verkäufer: »Ah, so, bei dem Geschäftsvolumen ...«

Und wenn jetzt die Sekretärin noch etwas gesellig ist, weil man am Telefon bereits mit ihr nett geplaudert hat, kann man ruhig nach bestimmten Schwerpunkten der augenblicklichen Produktion, nach Auftragseingang und Ähnlichem fragen.

Wichtig dabei ist, daß wir das Gespräch gelassen führen und nicht gleich den Notizblock zücken. Sonst wird sie uns schnell weitere Informationen verweigern mit dem Hinweis, »das kann Ihnen dann Herr Müller genau beantworten«.

Natürlich werden wir bei einer auskunftsfreudigen Kontaktperson nicht nachher Herrn Müller gleich sagen, sie habe gesagt, daß ..., sondern wir müssen unser neu gewonnenes Wissen als selbstverständlich ins spätere Gespräch einflechten. So gewinnen wir Vertrauen für unsere Beratung.

Was müssen wir alles vorbereiten?

Kopieren wir am besten die Checkliste auf der kommenden Seite, stecken wir sie in unseren Terminkalender, dann haben wir sie immer dann parat, wenn wir wieder einen neuen Kunden besuchen wollen.

Vorbereitung ...

- O spart Zeit, weil man direkter zum Gesprächsziel kommt;
- O schafft Vertrauen, weil man einen zuverlässigen Eindruck macht;
- O macht uns effektiver, weil wir besser Wesentliches von Unwesentlichem trennen können;
- O macht uns vollständiger, weil wir alles vorab geprüft haben;
- O schaltet Zufälle weitgehendst aus, weil wir diagnostisch in die Zukunft geblickt haben;
- O macht uns schlagfertiger, weil Schlagfertigkeit nichts mit einer »großen Klappe« zu tun hat;
- O macht sicherer, weil wir unseren »roten Faden« kennen;
- O spart Geld, weil man überflüssige Wege/Besuche vermeidet.

Kurz

VORBEREITUNG MACHT ERFOLGREICHER!

4.3 Wie läuft eigentlich ein Beeinflussungsprozeß ab?

Bevor wir uns mit dem praktischsten Thema der Kontaktaufnahme direkt beim Kunden beschäftigen, müssen wir uns über den Ablauf einer Beeinflussung im klaren sein. Die eigentliche Unsicherheit, die manche Verkäufer im Verkaufsgespräch haben, liegt wohl darin, daß sie sich dieses Ablaufes nicht bewußt sind und ihn deswegen auch nicht steuern können.

Eigentlich müßte man annehmen, daß in der Wirtschaft nur vernunftsorientierte Entscheidungen getroffen werden. Denn wirtschaften heißt haushalten. Und eine Wirtschaftlichkeitsberechnung basiert ebenso auf rationalen Größen. Deswegen legen wir auch großen Wert auf allerbestes Fachwissen und damit verbunden auf das seriöse Darbieten desselben. Aber halt, müssen wir denn logisches Fachwissen überhaupt seriös darbieten? Es wirkt doch von alleine. Denn Vernunft sieht man rasch ein. Wirklich?

Checkliste zur Vorbereitung eines Erstbesuches

Kunde
- Branche
- Produkte
- Bedeutung in der Branche
- Größe (Umsatz/Mitarbeiter)
- Organigramm
- Wahrscheinlicher Bedarf
  - Produkte
  - Mengen
  - Preise

Entscheidungsablauf beim Kunden
- Gesprächspartner
- formelle Strukturen
- informelle Strukturen
- seitherige Beziehungen
- Schriftverkehr kennen
- Reklamationen?

Gesprächsvorbereitung
- Ziel
- Gesprächsbeginn
- Small Talk-Idee
- Hauptargumente
- wahrscheinliche Gegenargumente
- Verhandlungserwartung
- Gesprächsstrategie und -taktik

Mitzunehmen
- Akte
- Kundenberichte/-prospekte
- Marktberichte/-analysen
- Kundenakte
- persönliches Geschenk
- Prospekte
- Muster, Modelle, Bilder
- Pressezitate/PR-Material
- Berechnungen/Testergebnisse

Wenn wir abends mit Tante Emma vor dem Fernseher sitzen, welches Gespräch kommt auf, wenn in einem Bericht über die Außenpolitik ein Interview mit unserem Außenminister gesendet wird? Diskutiert man mit Tante Emma über den Sinn und Inhalt unserer Außenpolitik? Oder beginnt Tante Emma, »also, daß der so abgenommen hat«. Oder: »Ich finde den sympathisch, der macht so einen väterlichen Eindruck.«

Ja, das werden die Kommentare sein. Das Äußere wirkt sofort, der Inhalt kommt erst viel später in die Diskussion.

Genauso ist es bei einem Fachgespräch mit einem Kunden. Der erste Eindruck besticht, richtet seine Gedanken positiv oder negativ. Hat der erste Eindruck etwas mit Verstand zu tun? Kaum! Am Anfang wird immer das Gefühlsleben in uns angesprochen. Unsere emotionalen Empfindungen wirken nämlich immer, selbst wenn wir versuchen, diese zu unterbinden. Deswegen ist die Beeinflussung des Gefühls bei unserem Gesprächspartner erstens nicht zu vermeiden, und zweitens ist es der erste Faktor, der auf ihn wirkt.

Schauen wir uns dies im folgenden Schaubild an, das allmählich mit Fortsetzung dieses Kapitels vervollständigt wird.

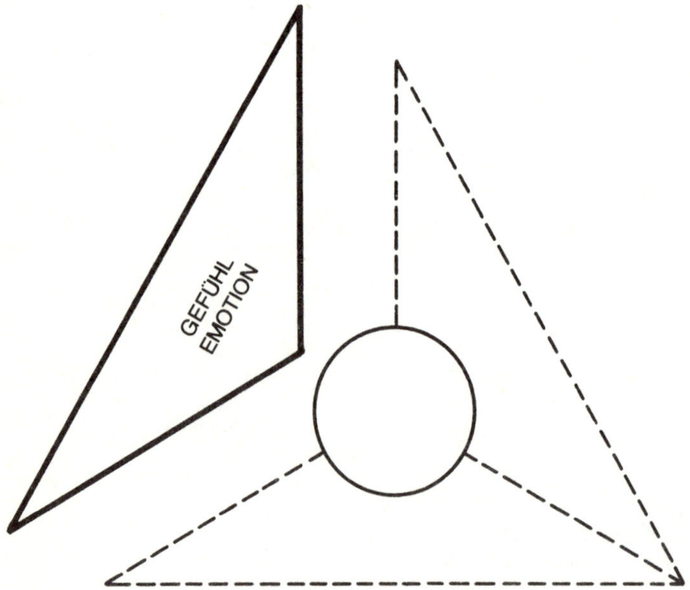

Der Kreis stellt den Kunden als »Ganzes« dar. Auf diesen Kunden wirken nun verschiedene Faktoren (in Form von stilisierten Pfeilen) ein, die in sich wiederum geschlossen sind und unterbrochen in einem genau vorbestimmten Wechsel sich ablösen. Der Prozeß endet nie.

Bei der Gewinnung eines positiven Gefühls beim Kunden erheben sich primär zwei Fragen.

1. Wie gewinnen wir Sympathie?
2. Wie gewinnen wir Vertrauen?

Weil wir an späterer Stelle sehr ausführlich darauf eingehen und hier nur die Zusammenhänge aufzeigen wollen, geben wir auf diese beiden Fragen nur zwei kurze Antworten. Am meisten Sympathie, und das wird manchen verwundern, verscherzt man sich durch Selbstdarstellung, wobei man versucht, sympathisch zu wirken anstatt den Kunden sympathisch zu finden. Und Vertrauen gewinnt man natürlich durch Pünktlichkeit, Zuverlässigkeit und Korrektheit im Benehmen.

Und jetzt kommt das eigentlich *»Entscheidende:* Das Gefühl sagt dem Verstand »Tür auf« oder im negativen Fall »Tür zu«.

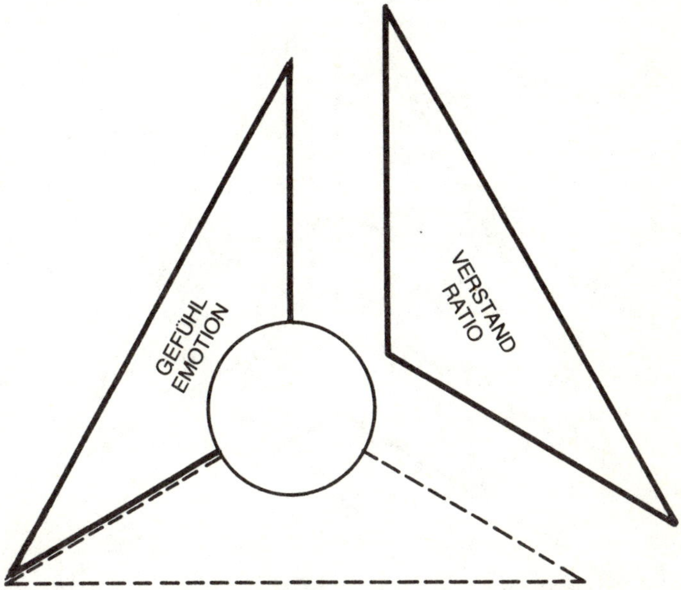

Wir sind sicherlich nicht so vermessen, zu behaupten, daß nur das Gefühl entscheide. Nein, aber es läßt den Zeiger der Abwägeschale des Kunden in die entsprechend beschleunigende Richtung schlagen.

Zur Gewinnung der *Ratio*, des Verstandes, benötigen wir natürlich ein hervorragendes Fachwissen. Doch dann entsteht gleich das Problem, daß wir mit unserem Fachwissen brillieren wollen, wodurch wiederum das Gefühlsleben des Kunden verletzt wird. Wir müssen in seiner Sprache sprechen, so daß er es versteht.

Und bei dieser Übertragung unseres Fachwissens sollten wir darüber hinaus noch ein Hobby-Pädagoge sein. Wir sollten nämlich fast alle Sinne ansprechen, nicht nur das Hören, damit unsere Botschaft auch hängen bleibt und vom Kunden akzeptiert wird.

Wir können ein nur gesprochenes Verkaufsgespräch für die Zukunft vergessen! Wir müssen dabei *zeichnen, schreiben, Bilder* zeigen, etwas *vorführen*, den Kunden *fühlen* lassen, den Kunden *aktivieren, riechen* lassen, *wiederholen* und *wiederholen* lassen.

Setzen wir nun voraus, der Kunde würde unsere Vorschläge inhaltlich, sachlich begrüßen, dann müßte er eigentlich es auch tun. Doch leichte Unsicherheiten halten ihn von der Entscheidung ab. Er wägt

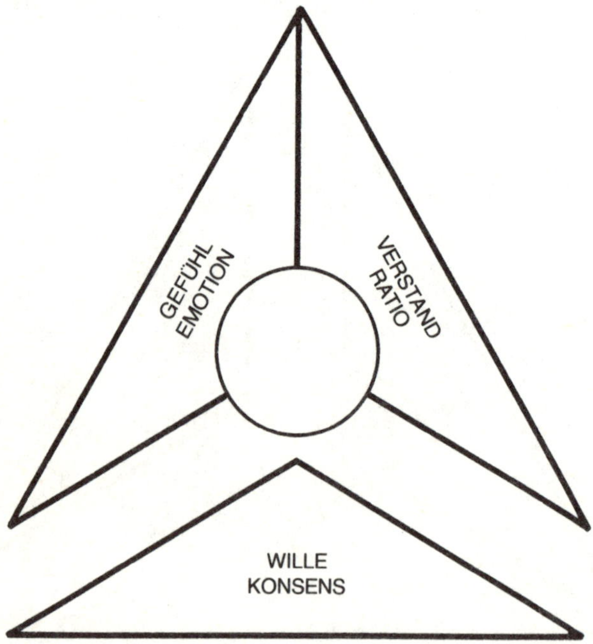

ab, soll ich oder soll ich nicht. Wenn er nicht sehr willensstark ist, wird er sich eventuell gar nicht entscheiden. Deswegen braucht er jetzt einen Verkäufer, der ihm hilft die Entscheidung zu treffen*.

Jetzt hat sich der Kreis geschlossen.

Und er wirkt ständig. Ein Verkäufer, der sympathisch ist hat es bei der Beratung leichter, weil der Kunde geneigt ist, ihm zu glauben. Und jetzt gibt es ein großes Fehlurteil. Viele von uns glauben, sich ihre ganze Sympathie zu verscherzen, wenn Sie mit einer guten Abschlußtechnik den Kunden zum Ziel, dem Auftrag, führen würden. Deswegen überlassen sie dem Kunden nach der Beratung die Entscheidung.

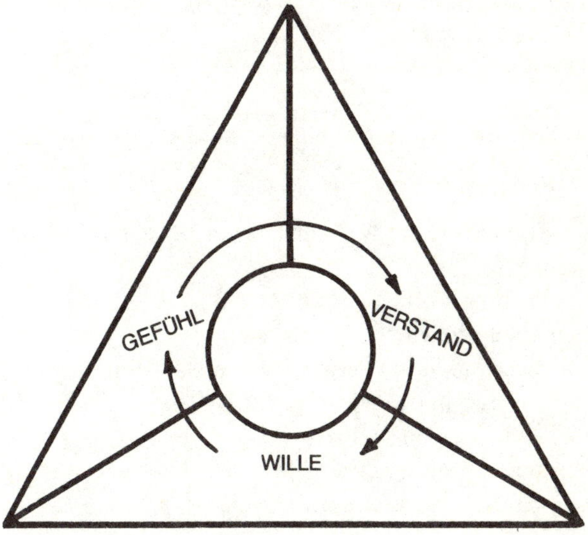

Das Gegenteil ist wahr. Der Verkäufer, der dem Kunden nicht hilft, eine positive Entscheidung zu treffen, macht sich unsympathisch: Er läßt den Kunden in einer unsicheren Situation.

Und vielleicht ärgert sich der Kunde später, daß er eine falsche Entscheidung getroffen hat, wozu ihm der falsche Verkäufer verholfen hat und nicht wir.

* Lesen Sie dazu das Buch von Erich-Norbert Detroy, »Abschlußtechniken beherrschen und gekonnt einsetzen«, das in der gleichen Serie beim verlag moderne industrie erschienen ist, 3. Auflage 1985.

Kurzübersicht der möglichen Maßnahmen zur Meisterung der verschiedenen Faktoren

GEFÜHL

- Dem anderen das Gefühl geben, daß man ihn sympathisch findet
- Aktiv-zustimmend zuhören und dessen Meinung bestätigen
- Nicht direkt widersprechen, Grundbedürfnisse beachten
- Mindestnormen der Höflichkeit beachten
- Freundlich sein, denn »vor dem Honigtopf hat man viele Freunde«
- Gut gelaunt sein versetzt in gute Stimmung
- Begeistert sein, denn Begeisterung steckt an
- Pünktlich sein (keine faulen Ausreden für Unzuverlässigkeiten geben, sondern Fehler eingestehen!)
- Korrekt gekleidet sein
- Verschwiegen sein
- Die Kundenprobleme zu den eigenen machen (das hat Grenzen!)

VERNUNFT

- Weniger ist mehr! (Paradox – aber wahr bei der Informations-Vermittlung)
- Alle didaktischen Hilfsmittel einsetzen
- Aussagen wiederholen
- Fachausdrücke möglichst vermeiden (verständlich bleiben)
- Das Kunden-Ego in den Mittelpunkt stellen
- Ununterbrochen Dialog führen
- Den Kunden voll ins Gespräch/Beratung einbeziehen
- Ihn nach seinen Anforderungen fragen

WILLE

- Initiative ergreifen und behalten (auch zeigen)
- Gespräch wie einen Fortsetzungsroman aufbauen mit logischem Schluß
- Kunden aktivieren, erleben lassen
- Eigene Meinung ständig durch Kunden bestätigen lassen
- Vorschlagstechniken kennen und beherrschen
- Kunden das Gefühl geben, daß das Gesprächs-/Beratungsergebnis seine eigene Lösung sei
- Eigene Zielsetzung haben und konsequent ansteuern

4.4 Wie »verkaufen« wir uns selbst?

Von einem früheren Fußballstar, den wir alle kennen, verbreitete sich die Nachricht, er hätte auch eine Werbeagentur. Was steckte dahinter? Ja, er war an einer Werbeagentur beteiligt, aber nicht als einer der geschäftsführenden Direktoren oder als einer der Kreativen. Nein, er war lange Jahre das Zugpferd. Der Geschäftsführer der Agentur, die natürlich im Domizil des Vereins, in dem der Star spielte, beheimatet ist, berichtete: »Wir wurden immer wieder angerufen, man wolle den Herrn Dingsda sehen, man hätte ein Werbeproblem. Natürlich kam Dingsda mit, aber mehr der Repräsentation wegen. Das eigentliche Werbethema wurde weitestgehend von den flankierenden Spezialisten besprochen. Türöffnerprobleme gab es also nicht.«

Merken wir uns, je höher die anzusprechende Person gestellt ist, desto wichtiger ist das Prestige, der Status, den ein Verkäufer ausstrahlt.

Wir können kaum um 13.15 Uhr schnell eine Portion Pommes Frites an der Bude essen und gleich um 13.30 Uhr eine Verhandlung mit dem Generaldirektor eines 20.000-Mann-Betriebes führen. Der eigene innere Eindruck wird mitgeschleppt. Der Kunde merkt nicht, was wir gegessen haben und kann auch nicht wissen, wo wir gestanden haben. Aber ohne ein überdimensioniertes schauspielerisches Geschick wird es uns anschließend kaum gelingen, Weltmann mit Flair zu sein.

Wie Du kommst gegangen, so wirst Du empfangen!

Der Kunde schließt aufgrund unserer Ausstrahlung auf die Fähigkeiten unserer Person, obwohl dies oft falsch sein wird. Aber wir kommen nicht dagegen an. In dem Moment, in dem sich die Tür bei ihm öffnet und wir hereintreten, bildet er sich ein Urteil über uns, das sicher ein Vorurteil ist.

Vorurteile hat jeder Mensch, keiner gibt es gerne zu. Und niemand läßt sich gerne sagen, daß er ein Vorurteil hat. Kaum ein Mensch wird seine Vorurteile ablegen, weil wir alle danach trachten, unsere »Vorurteile« zu bestätigen oder bestätigt zu bekommen.

Sorgen wir deswegen für ein positives Vorurteil!

Nehmen wir zunächst unser Äußeres:

Sauber und unauffällig, korrekt aber nicht »teuer« darf es sein.

Die Krawatte auf leicht getöntem Hemd wird immer noch gewünscht. Aber Vorsicht mit Accessoires, sie haben den größten Erinnerungs- und Ablenkungseffekt. Außer Eheringen sollten wir höchstens einen dezenten Schmuckring haben, besser keinen.

Unser Koffer muß »aufgeräumt« sein, denn wenn wir hier erst suchen müssen, denkt der Kunde: »Da fängt es schon an mit der Schlamperei.«

Der Pkw sollte nicht mehr als Mittelklasse sein, und Bonbons für guten Atem wirken erfrischend. Nicht nur für uns.

Mehr wollen wir über Äußerlichkeiten nicht sagen, da hier sowieso bei Verkäufern meist ein sicheres Geschick vorhanden ist.

Aber noch ein Wort zu den *Damen*, die trotz bester Chancen noch immer selten im Außendienst gesehen werden. Der Amerikaner John T. Molloy berichtete in seinem Buch »Dress for Success« was Damen tun müssen um erfolgreich zu sein:

Glattes Haar, keine üppigen Locken oder gar Kräusellook. Keine Rüschchenbluse, sondern weiß und glatt mit Schal als Blickfang (Krawattenersatz) im Ausschnitt. Möglichst Blazerjacke und kniebedekkender Faltenrock. Der Aktenkoffer kann modisch sein, ist jedoch nicht durch eine sportliche Handtasche zu ersetzen. Grundsätzlich keine großkarierten oder großblumigen Muster. Einfarbigkeit wird gewünscht, zur Not mal ein kleines Blümchenmuster.

Stimmt unser erster Eindruck, dann machen wir uns an die weitere Beeinflussung. Noch immer sind wir in der Phase, in der die Emotionen angesprochen werden.

Versuche, jetzt sympathisch zu wirken durch

- Prahlereien,
- lautstarke Selbstdarstellung,
- Imponiergehabe,
- sich zur Schau stellen,

müssen fehlschlagen!

Der Kunde bekommt leicht einen affektierten oder arroganten, in jedem Fall aber einen abstoßenden Eindruck von uns.

Natürlich verkaufen solche Typen auch, aber nur, wenn der Kunde deren Produkte unbedingt braucht, weil er sie woanders nicht bekommt oder die Produkte so gut sind, daß sich die Verkäufer alles erlauben können. So etwas soll es geben!

Besser gedient ist uns mit dem Versuch, den Kunden aufrichtig sympathisch zu finden. Überlegen wir schon bevor wir bei ihm sind, was wir lobend akzeptieren können.

Und wenn wir erst bei ihm sind, mitten im Gespräch, das Auge und das Hirn suchen ständig nach Möglichkeiten, wo wir unserem Gesprächspartner zeigen können, daß wir ihn sympathisch finden.

Wir kennen einen Finanzberater, der sich bei der Terminvereinbarung von Kunden den Weg beschreiben läßt. Bei der Ankunft hat er damit das erste Lob schon auf den Lippen.

Kunde:	»Donnerwetter, sie sind ja pünktlich auf die Minute!«
Verkäufer:	»Kein Kunststück, ich hatte ja auch Ihre perfekte Wegbeschreibung. Da konnte ich mich beim besten Willen nicht verfahren!«

Gerade beim Neukunden müssen wir aber auch sehr vorsichtig mit »Lob« umgehen. Wir kennen ihn noch nicht und wissen deswegen auch nicht, ob und wie er darauf anzusprechen ist und reagiert. Wenn es plumpe Schmeicheleien sind, wie »Tolles Haus haben Sie«, kann es sehr schnell aus mit der Freundschaft sein.

Sympathien können wir sehr gut zeigen, indem wir ihm aufmerksam und zustimmend nickend zuhören.

Er fühlt sich bestätigt und von uns voll akzeptiert. Später im Verlaufe des Gespräches können wir dann schon »etwas dicker auftragen« und sagen:

»Erstaunlich, ich wünschte mir noch mehr solche Kunden wie Sie, die solch eine hervorragende Sachkenntnis haben!«

Sehr positiv wirkt sich auch aus, wenn unsere Beratung gelegentlich mit Stellungsbestätigungen gespikt wird.

»Und dann, Herr Wehmeier, wissen Sie als Verkaufsleiter ja, daß beim Einsatz von Kontrollinstrumenten sich nur wenige ...«

Oder

»Männer Ihrer Stellung wissen ...«

Dieses Ansprechen des Ehrgefühls kann auch sehr gut klappen bei Kunden, die mit der Entscheidung noch zögern.

»Herr Moltrecht, ich habe Sie als einen Antiquitätenfachmann kennengelernt, der weiß, was er will, stimmt's?«

Kaum ein Kunde wird hier noch widersprechen können. Oder wir sagen:

»Herr Gerlach, Sie sind doch ein erfahrener Anleger, der gewohnt ist, Nägel mit Köpfen zu machen ...«

Aber, immer wieder: Solche Instrumente müssen sparsam eingesetzt werden, übertreiben wir es, stumpft die Waffe ab.

Genauso problematisch ist das häufige Namenerwähnen im Gespräch, das eine Kopierfirma ihrer Mannschaft einbleute.

Eines Tages kam meine Sekretärin und sagte: »Ich halte es nicht mehr aus, außer meinem Namen höre ich gar nichts mehr.« So wirkt eine an und für sich schöne Sache durch Übertreiben negativ. Also: Instrumente zur Beeinflussung des Gefühlslebens ehrlich und dezent einsetzen!

4.5 Wie leiten wir ein Neukunden-Gespräch ein?

Man darf die Frage nach der richtigen Gesprächseinleitung nicht überbewerten. Denn auch der Kunde hilft mit, diese zu finden. Ein Wort gibt das andere, ein Gespräch kommt quasi mit Floskeln wie »Hatten Sie eine gute Anreise?« in Fahrt, man fragt nach der obligatorischen Tasse Kaffee und dann kommt der Bruch! Die Überleitung von der Plauderei zum geschäftlichen Teil ist oft kraß, daß der andere merkt, daß man eben nur aus Verlegenheit so vor sich hin redete. Deswegen dürfen wir die Art der Gesprächseinleitung bei einem Neukunden auch nicht unterbewerten.

Den Anfang, und damit beginnt oft das Übel, macht das Überreichen der Visitenkarte am Empfang. Die Visitenkarte wird zu dem weitergeleitet, den wir eigentlich besuchen wollen. Dieser studiert sie kurz und trifft bereits eine Entscheidung! Fatal – aber wahr. Er entscheidet, ob er sich mit uns überhaupt unterhält, und wenn ja, wie lange.

Dann brauchen wir uns nicht zu wundern, wenn unser Mann mit der Visitenkarte in der Hand zum Empfangsraum gelaufen kommt und mit uns stehend das Gespräch führt. Wenn er wenig oder kein Interesse hat, wird er uns schnell abwimmeln, mit der Anmerkung: »Ach lassen Sie doch Prospekte da, man weiß nie wozu die noch nutzen!« Und aus ist der Traum vom neuen Großkunden. Wir hatten gar keine Chance, ihn zu interessieren, bei ihm Bedarf zu wecken.

Wenn er uns schon im Stehen empfangen will, müssen wir wenigsten ungefähr so mit ihm sprechen.

Kunde:	»Ach, nein, für Keilriemen haben wir im Augenblick keinen Bedarf. Lassen Sie aber mal sicherheitshalber Prospekte da, dann kann ich mich im Bedarfsfall bei Ihnen melden.«
Verkäufer:	»Deswegen bin ich auch nicht gekommen. Ich wollte Ihnen gerne etwas zeigen, was für Sie aus montagetechnischen Gründen recht interessant sein dürfte. Können wir uns da kurz hinsetzen?«
Kunde:	»Hhm.«
Verkäufer:	»Können wir das hier machen oder bevorzugen Sie die etwas bessere Konzentrationsmöglichkeit an Ihrem Schreibtisch?«
Kunde:	»Gut, kommen Sie kurz mit rein.«

Und schon haben wir das Gespräch gerettet. Die Parallelen zum Terminvereinbarungsgespräch sind hier natürlich deutlich. Doch auch hier müssen wir erst die Notwendigkeit des Gespräches verkaufen.

Besser ist es natürlich, wenn wir am Empfang unsere Visitenkarte erst gar nicht abgeben. Unsere Vorstellung muß natürlich so sein, daß wir zu ihm gerufen werden.

Empfang:	»Ja, bitte.«
Verkäufer:	»Guten Morgen, mein Name ist Zucker, ich komme von der Spedition Schönfeld und wollte ihrem Exportleiter gerne eine interessante Untersuchung zeigen. Würden Sie mich bitte anmelden?«
Empfang:	»Gern.«

Das Gespräch des Empfangschef wird dann ungefähr so laufen.

Telefon:	Klingeling.
Export:	»Becking.«

Empfang: »Ja, Empfang hier, ein Herr Zucker von der Spedition Schönfeld möchte Ihnen etwas zeigen. Kann ich ihn gleich rauf schicken?«

Export: »Ja, er soll aber im Besucherzimmer schon Platz nehmen.«

Jedenfalls kommen wir in das Innere des Gebäudes. Dies war ein Beispiel eines Besuches ohne Terminvereinbarung.

So, und jetzt kommt der Kunde zu uns. Dann sollten wir nicht mit Verlegenheitsbegründungen beginnen, wie:

»Ich war grad in der Gegend.«

»Ich dachte mir, daß ich Sie auch mal besuchen könnte.«

»Ich kenne Sie nun seit 10 Jahren, wollte Sie immer mal besuchen, jedesmal kam aber was Wichtiges dazwischen.«

»Ich wollte Sie mal kennenlernen, deswegen dachte ich mir ...«

»Ich wollte Sie nicht überfallen, aber da ich nun gerade hier Wichtiges zu tun hatte ...«

Man könnte die Serie fortsetzen, es wäre nicht schwer. Wir müssen jedenfalls die Wirkung dieser Negativ-Äußerungen kennen. Sie zeigen nicht nur Verlegenheit, sondern stempeln dazu noch den Kunden als geringwertig ab. Anderes ist wichtiger.

Eine alte Verkäuferweisheit lautet nun: Suche einen Bezugspunkt, der auf die Hobbies des Kunden hinweist und beginne damit.

Beispiel 1:

Wir sehen Pferdebilder an der Wand.

Verkäufer: »Ah, Sie sind Pferdenarr, stimmt's?«

Kunde: »Ja, ich habe einen Wallach und eine Stute im Stall. Warum fragen Sie, haben Sie auch Pferde?«

Verkäufer: »Nein, so ein teures Hobby kann ich mir nicht leisten. Aber ich interessiere mich sehr dafür.«

Kunde: »Ah, ich verstehe, Sie sind schon geritten.«

Verkäufer: »Nein, noch nie, das finde ich für mein Alter doch etwas gefährlich.«

Kunde: »Gefährlich, da gibt es Gefährlicheres.«

Kein Wunder, das Gespräch muß schief laufen, denn wenn nur ein scheinbares Interesse vorgetäuscht wird, gibt es beim Kunden leicht ein saures Aufstoßen.

Beispiel 2:

Ein Wimpel eines bedeutenden Fußballklubs steht auf dem Tisch.

Verkäufer: »Sagen Sie, sind Sie auch Fan des 1. FC X-Bach?«
Kunde: »Ja, Sie auch?«
Verkäufer: »Aber ja, ist das ein Zufall. Sagen Sie, der Elfmeter am Samstag, der war doch ungerecht.«
Kunde: »Stimmt, das leitete die Katastrophe für den 1. FC ein. Und man kann meckern wie man will, wir haben damit unseren ersten Platz verspielt.«
Verkäufer: »Ja, man könnte reinschlagen. Diese Ungerechtigkeit.«

Wenn nun das Gespräch so weitergeht, wissen wir, wo sich die beiden hinlavieren. Entweder ist dann kein Gespräch über das Geschäft mehr möglich, oder eine schlechte Stimmung, eine denkbar ungünstige Ausgangssituation.

Wie dem auch sei, wenn man dann zum Geschäft kommt, merkt doch auch jeder Kunde, daß man nur deshalb gekommen ist. Bitter stößt es ihm auf, wenn er merkt, daß das Hobby nur ein eleganter Einstieg gewesen sein sollte, um ihn für das Geschäft weich zu machen.

Der *typische* Verkäufer (wenn es den überhaupt gibt), nennen wir ihn Hans, leitet sein Gespräch mit ein paar unverbindlichen Verständigungsworten ein, spricht noch über die neue Autobahn, die er gekommen ist oder über den bevorstehenden Urlaub*, was dann insgesamt 10 Minuten dauert und kommt dann mit dem »Schlenker«.

Verkäufer: »Ja, aber deswegen bin ich eigentlich gar nicht gekommen. Da gibt es Wichtigeres. Lassen Sie uns also übers Geschäftliche reden.«

Und nun bildet sich da ein *moderner* Verkäufertyp, der noch recht selten angetroffen wird, nennen wir ihn Peter. Peter sucht vor Beginn seines Gespräches einen Aufhänger, der sowohl den Kunden

* Wo er den Kunden an Negatives erinnert, denn wieder ist alles teurer geworden ...

in seiner beruflichen Leistung anerkennt und aufwertet als auch ihm die Möglichkeit gibt, elegant auf sein Anliegen überzuleiten.

Verkäufer: »Herr Kunde, ich habe nun in den wenigen Minuten die ich hier bin, aufmerksam Ihren Be- und Entladeservice beobachtet. Es ist faszinierend, wie diszipliniert das bei Ihnen klappt. Wie haben Sie das erreicht?«

Kunde: »Ganz simpel. Wir haben intern die Belade-Kolonne von der Ablade-Kolonne getrennt, die Gruppenführer kommunizieren hervorragend und ... und ... und«

Verkäufer: »Phantastisch, da wäre ja gerade die sprichwörtliche Pünktlichkeit unserer Pick-up-Fahrzeuge für Sie noch die ideale Ergänzung.«
(Und jetzt kann der Verkäufer in Ruhe über seine Idee mit dem Kunden sprechen.)

Ganz klar, jeder Kunde, der auf seine eigenen Leistungen angesprochen wird, fühlt sich geehrt. Sofort wird er positiv mitmachen, denn von sich selbst erzählt jeder gern. Ganz klar eigentlich, daß er dann daran interessiert ist, diesen Vorsprung zu sichern und eventuell noch zu verbessern.

Und wenn unser Verkäufer dazu eine Lösung hat, stehen die Türen nicht nur weit offen, nein, sie werden weit aufgerissen. Der Kunde wird besonders begeistert mitmachen und dem Verkäufer bei seiner Argumentation noch helfen.

Zeigen wir den Unterschied zwischen unseren beiden Darstellern »Hans« und »Peter« noch einmal bildlich:

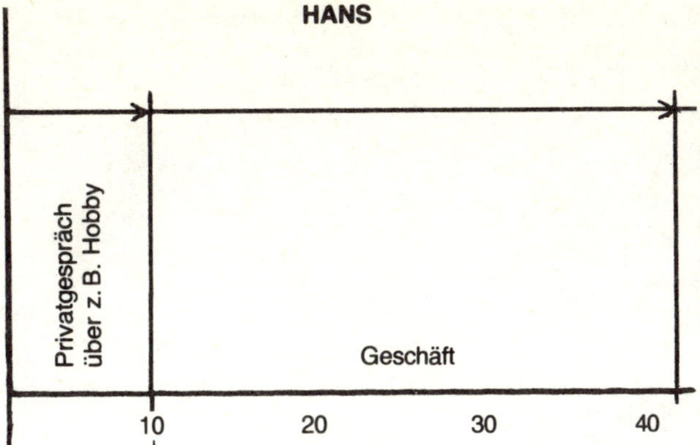

Hans vergeudet die wertvollste Zeit mit privater Plauderei.

Der Kunde merkt die Absicht und ist eventuell verstimmt.

Und das schlimmste:
Was ist, wenn der Kunde nach 30 Minuten zu einer wichtigen Vorstandssitzung muß?

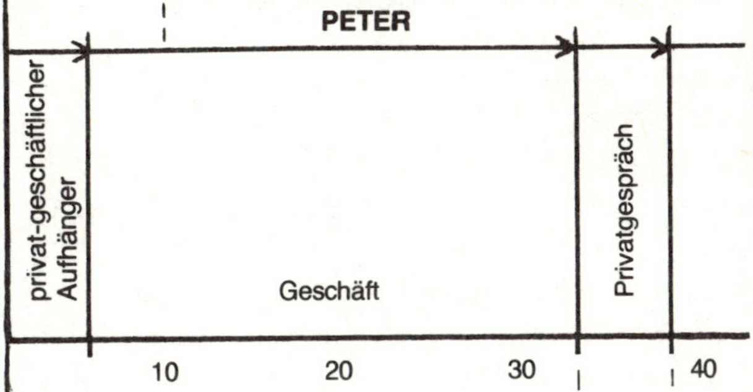

Peter leitet geschickt ein, steigert das Interesse noch, läßt den Kunden mitarbeiten und hat dann, wenn die Vorstandsbesprechung*) sein könnte, das Wichtigste mit dem Kunden bereits besprochen.

Aufmerksamkeitskurven (A.) des Kunden

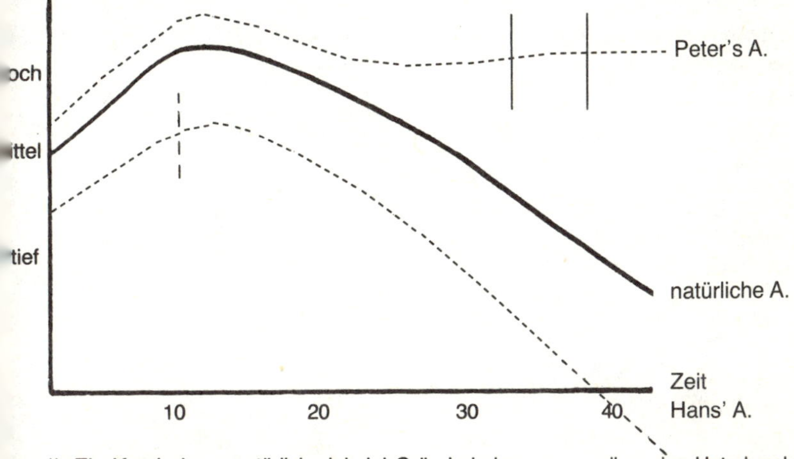

*) Ein Kunde kann natürlich vielerlei Gründe haben, warum ihm eine Unterbrechung oder Beendigung notwendig erscheint.

Zusammenfassung

Die 8 Goldenen Regeln der Gesprächseinleitung

1. Geben wir die Visitenkarte nicht bereits am Empfang ab.
2. Lassen wir uns nicht im Stehen »abfertigen«.
3. Vermeiden wir »Blabla« (»Nett haben Sie es hier«).
4. Wecken wir erst Interesse für das Gespräch, wenn wir schon »kalt« kommen*.
5. Vermeiden wir Verlegenheitsbegründungen (»War gerade hier ...«).
6. Suchen wir nach einem Aufhänger, der gleichermaßen den Kunden in seiner Leistung aufwertet ...
7. ... und uns die Möglichkeit gibt, gleich in das eigentliche Verkaufsgespräch einzusteigen.
8. Vermeiden wir das leidige Hobby-Thema, ein Einkäufer kann es schon nicht mehr hören.

*Kalt = ohne Terminvereinbarung oder sonstige Ankündigung

4.6 Wie wecken wir Interesse für unsere Produkte?

Es ist sehr naheliegend, beim Kunden ungefähr so vorzugehen:

Kunde: »Na, und was haben Sie Schönes anzubieten!«

Verkäufer: (Holt sein Produkt/Prospekt aus dem Koffer.) »Herr Doktor Meier, ich bin stolz darauf, Ihnen heute diese Neuentwicklung zeigen zu können. Bei diesem Präparat, wofür wir 7 Jahre Forschungsaufwand getrieben haben, handelt es sich um ein Produkt, das gerade bei Migräne vollkommen ohne Nebenwirkungen, wie Müdigkeit ist.«

Kunde: »Aha, lassen Sie mal ein paar Muster da.«

Sicherlich war dies ein – zwar abgekürztes – aber sehr typisches Gespräch. Man zeigt voller Stolz seine Produkte oder erklärt gleich am Anfang sein Sortiment. Daher stammt ja auch der nicht auszurottende Satz:

Verkäufer: »Ich wollte Ihnen mal mein Programm vorstellen.«

Frage aber: Sind wir Verteiler? Nicht mehr, schön war die Zeit vor 20 Jahren, aber sie ist vorbei.

Wenn wir heute mit unseren Produkten anfangen, kreisen gleich beim Kunden folgende Gedanken durch den Kopf.

»Brauch ich nicht.«
»Der will nur seine Produkte verkaufen.«
»Dafür wird er bezahlt.«
»Wie kriege ich ihn los?«
»Bringt mir das einen Vorteil?«
»Ich habe da etwas Ähnliches, was sich bewährte.«
»Was habe ich davon?«
»Der will was von mir!«

Und deswegen wird er Fehler suchen und auch entdecken. Eine innere Vorsichtshaltung und gesunde Skepsis bringen ihn dazu. Wenn er dann noch keine Zeit hat, sagt er schnell:

»Lassen Sie mal Muster/Prospekte da!«

Und wir glauben dann, ihm einen Dienst erwiesen zu haben. Nach 4 Wochen wundern wir uns aber, weil sich bei diesem Kunden noch immer nichts rührt. Er hat nämlich die Muster einfach in die Ecke gestellt. Und wenn wir anrufen, meint er lakonisch:

Kunde: »Ja, die Muster, ich habe sie mir mal bei Tageslicht angesehen. Die Verarbeitung hat mir überhaupt nicht gefallen. Wir bleiben deswegen beim alten Lieferanten.«

Bei einer im Frankfurter Raum beheimateten Chemiefirma stellte man vor ein paar Jahren fest, daß die Kosten für überreichte Muster in die Millionen gingen. Bei einer Untersuchung über die Anwendung der Muster bei den zu gewinnenden Kunden kam die große Erleuchtung. Nur etwa 25 % aller Muster wurden tatsächlich ausprobiert.

Diese Erkenntnisse hatten anschließend ein Training zur Folge, wobei das Ziel war, daß 75 % aller Muster getestet wurden. Was auch gelang.

Beginnen wir also nach Möglichkeit nicht mit unseren Produkten. Wir produzieren unnötigerweise eine Abwehrhaltung. Interesse können wir nur wecken, wenn sich der Kunde sofort einen Vorteil verspricht.

Und eine Erwartungshaltung läßt sich mit einfachen Mitteln steigern. Wir kennen das alte Problem, in unserer Wohlstandsgesellschaft weiß man nie, was man sich an Festtagen schenken soll. Treiben wir mal folgendes »Spielchen« mit Eva. So etwa 4 Wochen vor dem Fest sagen wir alle 2 bis 3 Tage zu ihr:

Wir: »Du, Eva, auf Weihnachten bin ich gespannt!«
Sie: »Warum?«
Wir: »Da bin ich gespannt auf Deine Augen!«
Sie: »Wieso?«
Wir: »Weil ich sehen möchte, welche Augen Du machst, wenn Du Dein Päckchen aufmachst.«
Sie: »Verstehe ich nicht?«
Wir: »Warte ab!«

Wir können uns vorstellen, daß Eva vor Neugierde zu platzen beginnt. Doch hüten wir uns, das Geheimnis zu früh zu lüften, die Spannung ist weg.

Wenn wir diese Idee für unser Verkaufsgespräch umarbeiten, könnte das so laufen:

Kunde: »Na, was haben Sie anzubieten?«
Verkäufer: »Etwas ganz Besonderes, auf das Sie wahrscheinlich schon lange warten!«
Kunde: »Was denn?«

Verkäufer:	»Herr Kunde, wenn Sie einmal an die Arbeit des Abisolierens von elektrischen Leitern denken. Da gibt es doch manchmal Probleme.«
Kunde:	»Stimmt, aber welche meinen Sie?«
Verkäufer:	»Es kommt doch immer wieder vor, daß auch der genaueste Elektriker die Drähte unsauber abisoliert, so daß Sie anschließend Reklamationen und Ärger wegen Wakkelkontakten und Ähnlichem haben. Stimmt's?«
Kunde:	»Ja, das kommt vor, und vor allem erst dann, wenn unsere Schaltanlagen irgendwo in der Welt stehen.«
Verkäufer:	»Wenn wir dazu eine Lösung hätten, womit so etwas nicht mehr passieren kann, was würden Sie sagen?«
Kunde:	»Zeigen Sie ...«
Verkäufer:	»Das wäre doch interessant?«
Kunde:	»Ja, sicher, aber zeigen Sie doch das Gerät mal.«

Die Spannung konnte kaum noch weiter gesteigert werden. Aber wie wurde die Spannung überhaupt geweckt?

Der Verkäufer begann mit »Ich habe etwas Besonderes, auf das Sie wahrscheinlich schon lange warten!«, womit er den Kunden in eine nachdenkliche Phase bringt. »Was könnte er damit meinen?« Deswegen wächst jetzt die Neugierde, man möchte doch gern wissen, was der andere über uns weiß.

Danach erwähnt der Verkäufer das Kernproblem, das fehlerhafte Abisolieren elektrischer Drähte. Dafür, daß so etwas passieren kann, ließ er sich sogar die Zustimmung geben. Jetzt könnte man schon sagen, »Hurra, wir haben dazu die Lösung«, doch damit wäre eventuell noch die Ablehnung durch den Kunden möglich.

Der Verkäufer sichert jetzt aber die Lösung ab, bevor er die Lösung bringt:

»Wenn wir dazu eine Lösung hätten, was würden Sie sagen?« Und als der Kunde ohne eine Antwort zu geben, weil er vielleicht weiß, wofür er sich verpflichtet, sagt »Zeigen«, wiederholt unser Kollege seine Aufforderung: »Das wäre doch interessant?«

Und erst als der Kunde dieser Frage zustimmt, zeigt er sein Produkt.

Was ist passiert? Der Kunde hat einer Lösung zugestimmt, die er noch gar nicht richtig kannte. Er wußte nur, daß es da eine Lösung geben muß, die für ihn interessant wäre.

Man nennt so etwas einen *Vor*-Verkauf.

Natürlich kann der Kunde später immer noch »Nein« sagen, weil ihm zum Beispiel der Preis* nicht paßt, aber es wird ihm schwer fallen. Er ließ sich ja vorher schon begeistern.

Um Interesse für unsere Produkte zu bekommen, müssen wir vorher versuchen, die Neugierde zu steigern. Jetzt erst, wo das Interesse vorhanden ist, könnte sich der Kunde um seine Bedarfsmöglichkeit kümmern.

Gewöhnen wir uns an, den Vorführkoffer möglichst lange geschlossen zu halten, die Prospekte erst dann zu zeigen, wenn schon ein latentes Bedürfnis sich offenbart oder gar Bedarf geweckt ist. Und Bedarf wecken können wir nicht, indem wir Produkte zeigen. Denn noch kein Produkt ist gekauft worden, weil es eben ein Produkt ist, sondern, weil sich der Käufer einen Nutzen verspricht.

Der Kunde kauft, was das Produkt leistet, was es ihm bringt, seine Bedarfsbefriedigung.

Da in anderen Fachbüchern das Thema der Motivation ausführlich beschrieben wird*, geben wir hier nur eine kurze Übersicht der Motiv-Gruppen und -Arten (Motiv = Beweggrund etwas zu tun).

Generell müssen wir unterscheiden in emotionale (gefühlsorientierte) und in rationale Motive.

Rationale Motive/Bedürfnisse	*Emotionale Motive/Bedürfnisse*
Sicherheit	Image / Prestige
Geld verdienen / Gewinn	Spieltrieb/Besitztrieb/Habsucht
Umsatz steigern	Nachahmungstrieb
Kosten sparen	Sammeltrieb
Fortschritt	Bequemlichkeit
Zeit sparen	Geltung / Anerkennung
Verluste vermeiden	Vorsprung haben
Risiken abbauen	jung sein
usw.	usw.

* Vom gleichen Autor, Erich-Norbert Detroy, sollten Sie auch lesen »Sich durchsetzen in Preisgesprächen und Preisverhandlungen«. verlag moderne industrie, 4. Auflage 1983.

* Z. B. Jan Wage, »Psychologie und Technik des Verkaufsgespräches«, verlag moderne industrie, 8. Auflage 1982.

Rationale Motive können wir offen und ungeschminkt ansprechen. Emotionale Motive dagegen möchte niemand so richtig wahrhaben. Deswegen können wir sie nur beiläufig, versteckt, geschickt verpackt ansprechen. Ein Verkäufer, der sagt, »Mit dieser Pfeife können Sie toll angeben«, wird nie eine Pfeife verkaufen, er müßte sagen, »Mit dieser Pfeife werden Sie viel Spaß haben«.

Die emotionalen Motive müssen von selbst wirken.

Beispiele:

»Ich bewundere immer wieder Menschen, die solch einen guten Geschmack haben.«

»Auf diese Wohnung/dieses Haus in dieser Lage können Sie zu Recht stolz sein.«

»Reservieren Sie Ihr Instrument, bevor es keine mehr gibt.«

In der *optischen* Darstellung gibt es natürlich noch mehr Möglichkeiten als in der verbalen, um das Gefühl anzusprechen:

- *limitierte* Auflage eines Autotyps
- vom *Präsident* handsignierte Produkte
- Sanitärausstattung von *Courrèges* oder *Colani*
- *Lichtstrahl* auf Produkt in sonst dunkel gehaltenem Schaufenster
- technische Elemente bei der Vorführung auf *schwarzem Samt*
- die *Sauberkeit* unserer *Demonstrationsmappe*

Im Verkaufsgespräch können wir aber auch sehr geschickt unsere vernunftsorientierten Vorteile mit *lust*betonten Vorschlägen kombinieren:

»Wenn Sie heute diese 100.000 Mark als Festgeld für einen Monat anlegen, bekommen Sie so viel Zinsen, daß es schon für einen kleinen Urlaub reicht.«

»Mit den 500 Mark, die Sie monatlich sparen, können Sie sich ein schönes Geschenk machen.«

»Durch die bessere Präsentation Ihrer Schallplatten erfreuen Sie Ihre Kunden und Ihre Ladenkasse wird häufiger und etwas herzhafter lachen.«

Zusammenfassung

Die 7 Goldenen Regeln »Wie man Interesse weckt«

1. Fangen wir nicht damit an, daß wir als erstes unser Produkt zeigen oder unser Produktionsprogramm vorstellen.
2. Wecken wir zunächst *Neugierde,* indem wir die Erwartungshaltung steigern.
3. »Nehmen wir Maß« bevor wir argumentieren, fragen wir nach den Wünschen, Motiven, Anforderungen des Kunden.
4. Stellen wir ein Problem dar, das der Kunde haben könnte, und fragen ihn, ob dies bei ihm auch mal vorkäme.
5. Fragen wir ihn »Wenn wir die Lösung hätten, würden Sie das begrüßen?«
6. Sprechen wir die rationalen (vernunftsorientierten) Motive *direkt* an.
   (»Sie sparen täglich ...« oder »Die Maschine produziert um ... genauer«)
7. Emotionale (gefühlsorientierte) Motive dagegen sollten *indirekt* wirken.

4.7 Exkurs: Lassen wir uns eigentlich manipulieren?

Kein Mensch läßt sich gern manipulieren.

Und kaum jemand gibt zu, daß er sich manipulieren läßt. Denn Manipulieren ist in unserer heutigen Begriffswelt ein negativer Begriff geworden. Schließlich verstehen wir unter einem Manipulanten einen, der etwas in seinem Sinne durch undurchsichtige Machenschaften lenkt. Manipulation wird verstanden als gezielte Beeinflussung unserer Gefühle.

Doch das war nicht immer so. Das Wort manipulieren kommt aus dem lateinischen und heißt im übertragenen Sinne mehr »von einer Hand in die andere Hand geben«, es ist also ein Handgriff oder Kunstgriff.

Sicherlich ist heute mit Manipulation eine Beeinflussung zu verstehen. Wird diese Beeinflussung aber nur vorgenommen zu unserem eigenen Nutzen und auch noch als solche erkannt, ist der Kunde zu Recht böse.

Eine Beeinflussung kann jedoch auch zugunsten des Kunden stattfinden.

In einer Fernsehsendung im Jahre 1980 wurden zwei Bilder gezeigt.

Darunter wurden zwei Worte geschrieben.

Nach der Zuordnung der beiden Worte gefragt, sagten 96 % aller Beteiligten TAKETE nach links und MALUMA nach rechts. Weder die Bilder noch die Worte haben etwas mit Logik zu tun. Angesprochen wurde nur ein ästhetisches Empfinden.

Wenn ich in Seminaren diese beiden Zeichnungen anfertige und die

Worte dazuschreibe, habe ich noch kaum geendet, schon äußern sich Teilnehmer spontan und ungefragt:

»Klar, TAKETE links und MALUMA rechts.«

Dieses Verhalten läßt darauf schließen, daß wir alle im Unterbewußtsein versuchen, unsere Eindrücke zuzuordnen. Für uns als Verkäufer bringt das eine ganze Reihe von Überlegungen mit sich.

Ein in der Technologie führendes amerikanisches Unternehmen beauftragte ein Forschungsinstitut festzustellen, welche Farbe und welche Schriftzeichen man wählen müsse, wenn es folgende Aussagen hervorrufen wolle:

»Es handelt sich um ein Unternehmen, das folgende Eigenschaften hat:
- Präzision
- Zuverlässigkeit
- Fortschritt
- Höchster technologischer Stand
- und andere ähnlich gelagerte Eigenschaften

Intensive Recherchen, wobei viele hundert Menschen befragt, Farben und Schriftzeichen vorgelegt und interpretiert wurden, ergaben als empfohlene Hausfarbe »mittelblau«. Die Schriftzeichen sollten gerade Linien und eckige Buchstaben aufweisen, die leicht nach rechts geneigt sein sollten*.

Ganz klar, sagen wir.

Und dann ist es unverständlich, wie Firmen eine Hausfarbe, egal nun welche, wählen können, nur weil es die Lieblingsfarbe des Unternehmers oder des Werbechefs oder desjenigen mit den härtesten Ellbogen ist.

Lesen wir mal eine Modezeitung mit derben Arbeitshandschuhen. Das Heft gefällt uns nicht. Essen wir von einem Teller, der am Rand deutliche Fingerabdrücke hat. Das Essen schmeckt nicht. Setzen wir uns auf ein Kissen mit undefinierbarem Fleck. Wir sitzen garantiert unbequem.

Wir können uns im allgemeinen einem Gefühlsdrang kaum erwehren.

Wir können andere anregen mitzulachen, indem wir selbst lachen.

* Vergleiche dazu auch Kapitel IV

Lachen steckt an. Denken wir nur an den Lachsack, der vor ein paar Jahren Mode war, alle lachten als sie ihn nur hörten.

In Filmen wie »Doktor Schiwago« oder »Love Story« rollen bei vielen die Tränen, obwohl es nur ein Film ist, der gleich in einigen hundert Kinos dreimal täglich läuft. Und die Besucher von »Django-« oder »Karate-Filmen« fühlen sich danach auch viel stärker, zeigen anschließend beim Heimfahren mit quietschenden Reifen, was das Auto hergibt. Beeinflussung oder nicht? Klar war dies eine Manipulation.

Eine Reise in den Fernen Osten wird sich nur schwer verkaufen lassen, wenn im Prospekt schwarz-weiße Bilder mit Grauschleier zu finden sind. Scheinbar ist dieser Effekt noch nicht bis zu jedem Reiseveranstalter durchgedrungen.

Raucher haben meist ein schlechtes Gewissen gegenüber ihrem eigenen Körper. Was wundert es, daß die erfolgreichsten Zigarettenmarken eine Verpackung haben, die als Grundton Weiß hat. Weiß suggeriert Reinheit, Sauberkeit und Gesundheit.

Resümee:

Achten wir auf uns selbst. Unsere Person wirkt, ohne daß wir etwas sagen.

Achten wir auf unsere Unterlagen (Katalog, Prospekte, Muster). Sie haben auch im schweigenden Zustand eine Aussagekraft.

4.8 Wie verhindern wir, »im Stehen« empfangen zu werden?

Versetzen wir uns einmal in die Situation eines Kunden. Er sitzt am Schreibtisch und hat sicherlich meist sehr wichtige Angelegenheiten zu erledigen, oft erfordert seine Arbeit höchste Konzentration und ausdauernde Genauigkeit. Und just in dem Moment wo er kurz vor dem Ende einer langwierigen Berechnung ist, klingelt das Telefon. Der Empfangschef meldet da einen Besucher an:

Kunde/Einkäufer: »Ja, Härtel.«
Empfangschef: »Herr Härtel, ein Herr Wolf ist hier und möchte Sie sprechen.«

Kunde: »In welcher Angelegenheit?«
Empfangschef: »Ja, auf der Visitenkarte steht Elektro- und Druckluftwerkzeuge.«
Kunde: »Brauchen wir nicht, schicken Sie ihn wieder weg.«

Was war das Problem?

Nun, der sicherlich sehr höfliche Empfangschef hatte die schwierige Aufgabe uns zu verkaufen. Und wie kann er das, wenn er eine Visitenkarte in der Hand hält und abliest? Wohl kaum.

Und da steckt der erste Fehler, geben wir doch beim Portier ja keine Visitenkarte ab. Sie werden sagen, das sei aber so üblich. Und damit haben Sie recht. Das ist ja das ganze Dilemma, viele Außendienst-Kollegen geben die Visitenkarte ab. Vielleicht aus Besitzerstolz, vielleicht, um sich zu legitimieren, vielleicht aus Höflichkeit oder gar aus Nachlässigkeit.

Behalten wir doch die Visitenkarte bei uns!

Melden wir uns beim Empfang freundlich und klar. Legen wir diesem höflichen Herrn, den wir zu unserem kurzfristigen Verbündeten machen müssen, doch die Worte, mit denen wir angemeldet werden möchten, in den Mund.

Und da die meisten Menschen zum *Nachahmen* neigen, können wir darauf bauen, daß er es wahrscheinlich auch tun wird.

Ein Beispiel:
Empfangschef: »Wie kann ich Ihnen helfen?«
Verkäufer: »Guten Tag, mein Name ist Fuchs.«
Empfangschef: »Guten Tag?« – fragender Blick.
Verkäufer: »Ich habe eine Bitte, und da bräuchte ich Ihre Hilfe. Wer ist denn für den Einkauf von Werkstattausstattung zuständig?«
Empfangschef: »Nun, das ist Herr Härtel.«
Verkäufer: »Ah, Herr Härtel. Dann hätte ich noch eine Bitte, wenn Sie bitte so nett sind und mich bei ihm anmelden?!«
Empfangschef: »Gern, wie war doch gleich Ihr Name?«
Verkäufer: »Mein Name ist Fuchs, Hans Fuchs. Sagen Sie Herrn Härtel, ich hätte ihm etwas zu zeigen, womit er Energie in der Werkstatt sparen kann.«
Empfangschef: »Gern« – ruft an!

Einkäufer: »Härtel.«
Empfangschef: »Hier Empfang. Herr Fuchs ist da, er möchte Ihnen etwas zeigen, womit wir in der Werkstatt Energie sparen können ...«
Einkäufer: »Welche Firma?«
Empfangschef: »Mhm ...« den Verkäufer anschauend.
Verkäufer: soufflierend »Flexoflix.«
Einkäufer: »Ah, hab ich gehört, schicken Sie ihn rauf.«

Sicherlich ist dieser Dialog etwas länger geworden. Jedoch ist die Wahrscheinlichkeit, daß wir wieder unverrichteter Dinge abreisen müssen, geringer geworden.

Der Einkäufer ist nun neugierig, gespannt und voller Interesse geht er in das Gespräch hinein. Plötzlich »vergißt« er seine andere wichtige Arbeit, denn jetzt steht da ein möglicher Vorteil in Aussicht.

Wahrscheinlich müssen wir auch im Besucherzimmer nicht allzu lange warten, bis er kommt. Er kann es ja selbst nicht mehr *abwarten!*

Ein weiteres Problem könnte jetzt entstehen, wenn wir im Empfangsraum oder Besucherzimmer zwar einen Stuhl vorfinden, uns aber aus verschiedenen Gründen nicht setzen. In Eile befindliche Manager werden deshalb versuchen, uns im »Stehen« abzufertigen. Und das geht auch ganz einfach.

Der Kunde kommt, wir stehen auf um ihn zu begrüßen. Er schlägt einen sehr freundlichen aber klaren Ton an und bittet sofort um Prospekte, die er auch stehend empfängt. Er blickt kurz rein, äußert sein Wohlwollen und verspricht glaubhaft, darauf bald wieder zurückzukommen. Und schon sind wir wieder draußen.

Wie lösen wir dieses Problem?

Nun, wir sollten uns angewöhnen, am Anfang nach einer kurzen Vorstellung den Kunden durch Fragen in ein interessantes Gespräch zu verwickeln.

Kunde: »Ah, entschuldigen Sie, daß Sie einen Moment warten mußten, Härtel ist mein Name.«
Verkäufer: »Ich bin Hans Fuchs, Fuchs von Flexoflix.«
Kunde: »Habe ich schon mal gehört, interessiert mich. Haben Sie Prospekte da?«
Verkäufer: »Ja« (gibt sie aber nicht, noch nicht). »Herr Härtel, es freut mich, daß Sie unsere Firma kennen. Um was es

	geht: Haben Sie sich schon einmal Gedanken gemacht, durch welche Maßnahmen man den Energieverbrauch der Werkstatt ganz erheblich senken kann?«
Kunde:	»Ja, nein, eigentlich nicht. Wieso?«
Verkäufer:	»Würde Sie eine Energieeinsparung bei den Stromkosten um 20 % interessieren?«
Kunde:	»Sicher, wie geht das?«
Verkäufer:	»Können wir uns einen Moment setzen? Ich möchte Ihnen dazu gerne etwas zeigen.«
Kunde:	Führt zum Platz.

Was hat unser Kollege gemacht? Nun, er hat nur *weiter* Interesse geweckt. Und damit wurde die Spannung beim Kunden immer noch weiter gesteigert. Er konnte auf die Bitte, Platz zu nehmen, kaum mehr *nein* sagen.

Merken wir uns:

Der Grundfehler steckt darin, daß wir zu früh von *uns* anfangen, *anstatt* mit den *Interessen des Kunden.* Erst wenn er sich einen Vorteil verspricht, wird er gespannt sein, sich in ein für ihn interessantes Gespräch verwickeln lassen.

Und dann merkt er nicht, daß er ja noch andere wichtige Tätigkeiten hat (von denen er jetzt abgehalten wird). Kommen wir aber nur mit einer Aufzählung unserer Produkte, fühlt sich der Kunde sehr schnell belästigt.

Typische *Selbstmord-Eröffnungen* für ein Gespräch sind:

1. Der Programm-Vorsteller

Verkäufer:	»Guten Tag, Herr Kunde, Meier ist mein Name, ich wollte Ihnen mal mein Programm vorstellen.«
Kunde:	»Was haben Sie?«
Verkäufer:	»Elektrowerkzeuge.«
Kunde:	»Da sind wir an und für sich gut versorgt. Aber lassen Sie mal einen Prospekt hier.«

Wir merken hier, daß die Prospektübergabe zwar erfolgt ist, aber die Bitte darum vom Kunden eher als ein Gnadenakt empfunden werden muß.

2. Der Uninformierte

Verkäufer: »Guten Tag, Herr Kunde, ich bin schon einige Jahre hier im Gebiet, und sehe schon lange Jahre Ihr Gebäude. Heute habe ich mir gesagt, ich will doch mal sehen, was sich dahinter verbirgt.«

Kunde: »Tja, nett, daß Sie sich mal sehen lassen. Wie kann ich Ihnen helfen?«

Verkäufer: »Sagen Sie, was produzieren Sie denn so alles?«

Kunde: »Wir sind die größte Möbeltischlerei in Oberbayern und wenn Sie wollen, nehmen Sie doch hier diesen Prospekt mit.«

Verkäufer: »Oh, da können Sie sicher unsere Werkzeuge brauchen.«

Kunde: »Welche Werkzeuge?«

Verkäufer: »Elektrowerkzeuge.«

Kunde: »Lassen Sie mal einen Prospekt hier. Wir melden uns im Bedarfsfall.«

Und draußen sind wir auch hier. Es ist schon peinlich, dem Kunden zu sagen, daß man die Bedeutung seiner Firma nicht kennt. Hätten wir uns vorher informiert (z. B. im »ABC der deutschen Wirtschaft« oder durch ein Telefonat), hätten wir einen besseren Eindruck gemacht.

3. Der Unterwürfige

Verkäufer: »Guten Tag, Herr Kunde, entschuldigen Sie, daß ich hier so reinplatze. Ich wollte Sie nicht stören, nur dachte ich mir, ich könnte Sie vielleicht für unser Produktionsprogramm interessieren.«

Kunde: »Was verkaufen Sie?«

Verkäufer: »Ich verkaufe Werkzeuge. Dürfte ich Ihnen mal einen Prospekt zeigen?
Aber nur wenn ich Sie nicht störe, sonst komme ich gerne ein anderes Mal wieder.«

Kunde: »Lassen Sie einen Prospekt hier.«

Tja, vielleicht war dieser Verkäufer sogar glücklich, daß er einen Prospekt überreichen durfte.

Doch gedient ist ihm nicht. Denn nächstes Mal wird er wohl fragen,

»ob denn der Kunde eventuell schon die Gelegenheit hatte, da mal einen Blick reinzuwerfen«. Und der Kunde wird ihm diese Frage ausweichend verneinen. Worauf sich der Kollege erneut für seine (vermeintliche) Aufdringlichkeit entschuldigen wird.

Mit Unterwürfigkeit kommen wir nicht weiter. Wirklich gestandene Kunden wollen es mit Menschen zu tun haben, die wissen was sie wollen, die mit beiden Beinen sicher auf der Erde stehen. Etwas mehr Selbstbewußtsein ist schon angebracht.

4. Der Konjunktivierer

Verkäufer: »Guten Tag, Herr Kunde, ich wollte man sehen, ob es eventuell möglich wäre, Sie möglicherweise für meine Produkte zu interessieren?«

Kunde: »Was vertreten Sie?«

Verkäufer: »Werkzeuge. Und da wäre es schön, wenn Sie sich da mal dafür interessieren würden ...«

Übertrieben? Keinesfalls, auch dieser Typ begegnet uns noch immer. Zwar nicht mehr so häufig wie früher, doch immer noch da, wo man Kollegen trifft, die nicht von sich selbst überzeugt sind.

Die eigentliche Ursache, daß wir uns in Konjunktiv-Formulierungen (Möglichkeitsform) versteigen ist wohl erziehungs- und umweltbedingt. Die Satzeinleitung »Ich würde sagen ...« hören wir fast täglich von Politikern und irgendwann übernehmen wir diese auch. Im Unterbewußtsein.

Realisieren wir uns aber doch, daß wir mit solchen Sätzen nur eine geringe Möglichkeit haben, den Kunden zu steuern, die Vorteile wie gewünscht zu erkennen.

5. Der Ich-Bezogene

Es ist eigentlich allzu menschlich, daß wir alle von uns selbst ausgehen. Wir reden alle lieber von uns selbst. Dieses Grundverhalten kann bei der Gesprächseröffnung zur Folge haben, daß der Kunde in Abwehrstellung geht.

Verkäufer: »Guten Tag, Herr Kunde, heute bin ich gekommen, um Ihnen mal die Wirkungsweise unserer Elektrowerkzeuge eindrucksvoll zu demonstrieren.«

Kunde: »Bei Werkzeugen sind wir ganz gut versorgt.«

Verkäufer: »Macht nichts. Lassen Sie sich trotzdem mal alles erklären. Fünf Minuten Zeit haben Sie doch sicher.«

Kunde: »Das nutzt kaum, aber lassen Sie mal Prospekte hier.«

Verkäufer: »Prospekte sagen wenig aus. Schauen Sie mal diesen Bedienungsknopf an. Ist er nicht sehr griffgerecht?«

Wir können uns vorstellen wie dieses Gespräch endet. Der Kunde wird dennoch Prospekte verlangen und versprechen, daß er sich bald wieder meldet. Letzteres wird er dann »vergessen«.

6. Der Prahler

Nun wissen wir, daß viele Kunden zum Verkäufer ein gespaltenes Verhältnis haben. Sie wissen, daß dieser seine Ware loben, also subjektiv sein muß. Eine »gesunde« Skepsis gegenüber den Verkäuferaussagen bringt er also automatisch mit. Diese wird aber zu einer »mißtrauischen« Skepsis, wenn er jemandem begegnet, der seine Vorteile überzogen darstellt.

Beispiel:

Verkäufer: »Herr Kunde, heute werden Sie ein Produkt erleben, mit bisher für unmöglich gehaltenen Vorteilen. Wir liefern dieses Produkt in alle Welt, obwohl es erst seit vier Wochen auf dem Markt ist. Die Präzision, die diese Maschine bringt, wurde oft kopiert, nie erreicht.«
Und so weiter ...

Sicherlich müssen wir unsere Vorteile ins rechte Licht stellen, von unserem eigenen Angebot begeistert sein. Doch erst später. Am Anfang müssen wir uns verkaufen. Und das können wir am besten, indem wir auf den Kunden eingehen.

Lesen Sie dazu auch nochmals das Kapitel 4.3, wo wir über den Ablauf einer normalen Menschen-Beeinflussung sprechen.

Wie vermeiden wir nun, »im Stehen« empfangen zu werden?

10 Grundregeln dazu:

1. Visitenkarte *nicht* beim Empfang abgeben!
2. Dem Empfangschef die Worte in den Mund legen, mit denen man wünscht angemeldet zu werden!
3. Die Anfangs-Bitte des Kunden nach einem Prospekt nicht erfüllen –
4. freundlich darauf mit einer Frage antworten, die »ein« Interesse trifft!
5. Mit Fragen den Kunden zu einem längeren Gespräch bringen!
6. Etwas zu zeigen anbieten!
7. Fragen, wo man die Unterlagen ausbreiten könne!
8. Unverblümt – jedoch sehr höflich nach der Möglichkeit sich kurz zu setzen fragen!
9. Die sechs Selbstmord-Eröffnungen vermeiden!
10. Das Kunden-Ego in den Mittelpunkt stellen – das eigene Ego zurückstellen!

4.9 Welche Einwände warten auf uns – wie beantworten wir diese?

Das sogenannte »kalte« Anlaufen eines potentiellen Kunden birgt natürlich verschiedene Gefahren.

Nachteile

1. Kunde ist nicht vorbereitet.
2. Kunde ist eventuell nicht am Platz.
3. Kunde fühlt sich gestört.
4. Kunde fühlt sich abgewertet.
5. Kunde hat definitiv keine Zeit.
6. Kunde ist gerade in einer anderen Besprechung.
7. Kunde fühlt sich abgewertet.

Daraus läßt sich folgern, daß wir uns selbst abwerten, indem wir unangemeldet kommen. Doch in manchen Situationen (z. B. plötzliche Zeitreserve unterwegs) oder in manchen Branchen (z. B. Markenartikel-Reisende) ist dies oft nicht zu vermeiden. Deswegen müssen wir die Technik des Kalt-Anlaufens beherrschen, was nicht bedeutet, daß wir diese unentwegt anwenden.

Die Nachteile bringen natürlich auch Vorteile mit sich. Denn wo Schatten ist, muß irgendwo auch Sonne sein. Zu den Vorteilen muß man zählen, daß wir schwieriger »abwimmelbar« sind.

Stellen wir uns positiv auf die Nachteile und deren Folgen ein. Was könnte der Kunde alles sagen?

Einwände

1. Habe keine Zeit.
2. Lassen Sie mal Prospekte beim Portier.
3. Ist gerade nicht zu stören.
4. Gespräche nur mit vorheriger Anmeldung.

Lassen Sie uns die einzelnen Problemfälle auch einzeln behandeln, obwohl wir sagen müssen, daß viele erst gar nicht entstehen können, wenn wir die vorangegangenen Kapitel beherzigen.

Problemfall 1

Habe keine Zeit!

Hier erleben wir häufig Kollegen, die sich darüber hinwegsetzen und einfach weiterreden. Sie hoffen dabei, daß sich der Kunde durch ihr rhetorisches Vermögen in Bann ziehen läßt. Doch der Kunde merkt die Absicht und ist verstimmt. Es ist schon eine grobe Unhöflichkeit, geäußerte Willensbekundungen zu mißachten.

Für Profis unter uns gibt es deswegen eigentlich nur zwei Möglichkeiten:

1. Neuen Termin vereinbaren.
2. Konkret auf die Zeitnot hin argumentieren.

Neuen Termin vereinbaren:

Kunde:	»Ich habe überhaupt keine Zeit.«
Verkäufer:	»Verstehe ich Sie richtig, wenn Sie Zeit hätten, würde Sie das interessieren?«
Kunde:	»Ja, sicher.«

Verkäufer: »Lassen Sie uns dann einen Termin vereinbaren. Welcher Wochentag ist normalerweise etwas ruhiger bei Ihnen? Der Freitag oder der Montag?«

Kunde: »Beide.«

Verkäufer: »Gut, dann schlage ich vor, Montag, 10 Uhr!«

Kunde: »Einverstanden.«

Der Verkäufer hat hier die Situation des Kunden akzeptiert. Daraufhin versuchte er sich zu vergewissern, ob es nur ein Zeitproblem ist. Dies wird ihm der höfliche Kunde immer bestätigen. Worauf unser Kollege dann zielstrebig auf den Termin zuging, wobei er eine Vor-Alternative anbot.

Kaum ein Kunde wird daraufhin noch bockbeinig sein.

Konkret auf die Zeitnot hin argumentieren:

Dies dürfte in vielen Branchen oder Fällen schwierig sein. Wichtig dabei ist, daß wir die Situation im voraus überlegt und durchdacht haben. Sonst könnte sich der Kunde leicht auf die Schippe genommen fühlen.

Kunde: »Ich habe überhaupt keine Zeit.«

Verkäufer: »Dann komme ich ja gerade richtig. Vielleicht kann ich Ihnen in wenigen Minuten (und die haben Sie sicherlich) einen Weg aufzeigen,wie Sie bei der Arbeit mit diesen Werkzeugen sich wichtige Zeitvorteile sichern können.«

Alternative 1: »... wie Sie bei der Zusammenarbeit mit uns allein durch die Erleichterung der Administration wesentliche Zeitvorteile gewinnen können.«

Alternative 2: »... wie Sie durch unseren täglichen Zustell-Service ohne Zeitprobleme disponieren können.«

Alternative 3: »... wie sich dadurch, daß wir alles aus einer Hand liefern können, wesentliche Zeitvorteile für Sie ergeben könnten.«

Problemfall 2

Lassen Sie mal Prospekte beim Portier!

Ja hier ging alles schief.

Nicht nur, daß er uns nicht empfangen möchte, er gibt uns noch den »Gnadenschuß«. Auf Nimmerwiedersehen heißt das.

Bitten wir doch in diesem Fall den Empfangschef, kurz selbst mit unserem Wunsch-Gesprächspartner telefonieren zu dürfen. Dieser Wunsch wird selten abgeschlagen. Beim anschließenden Gespräch müssen wir uns dann (wie in früheren Kapiteln beschrieben) selbst verkaufen. Wir müssen Neugierde und Interesse wecken, dem Kunden ein Motiv geben, uns zu empfangen.

Entweder er empfängt uns dann sofort, oder aber wir können einen Termin für später vereinbaren. Jedenfalls haben wir mit dem Menschen bereits gesprochen, menschliche Wärme konnte entstehen. Dies wird uns die spätere Kontaktaufnahme erleichtern. Der Kunde und wir, beide haben wir eine emotionale Vorstellung von unserem Gegenüber ... mit Worten haben wir uns bereits die Hand gegeben.

Jetzt gilt es nur noch, perfekt einen Termin zu vereinbaren.

Und die Prospekte?

Ja, lassen wir sie beim Portier, wenn wir nicht gleich ein Gespräch führen können. Aber, nicht einfach überreichen, vielleicht noch mit einer darangehefteten Visitenkarte.

Nehmen wir uns für den Prospekt zwei Minuten Zeit.

1. Auf die Visitenkarte schreiben wir handschriftlich drauf:

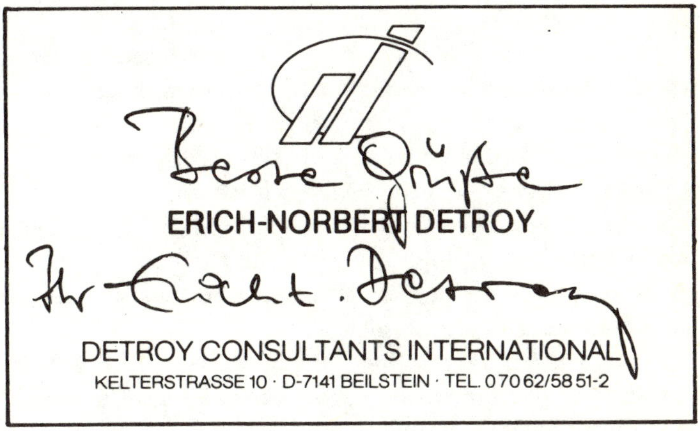

2. *Auf den Prospekt* schreiben wir vorne drauf den Namen des Kunden und was er besonders lesen soll.
3. Und *in dem Prospekt* machen wir wichtige Ergänzungen, wie z. B.:

Besonders wichtig für Sie!

oder

Leistung konnte um 20 % gesteigert werden!

oder

Jetzt ab Lager lieferbar!

Natürlich ebenfalls wieder handschriftlich. Eventuell arbeiten wir dann gleich mit mehreren Farben, jedenfalls können wir mit einem gelben Markierungsschreiber auch wichtige Passagen hervorheben.

So aufgearbeitet bekommt der Prospekt – wenn er auf dem internen Dienst-/Botenweg beim Empfänger angelangt ist – sicherlich die von uns gewünschte Aufmerksamkeit. Bei unserem nächsten Kontakt können wir damit rechnen, daß der Kunde informiert und positiv gegenüber uns eingestellt ist.

Problemfall 3

Ist gerade nicht zu stören!

...hören wir über den Portier von dessen Sekretärin. Er sei in einer Besprechung wird behauptet, vielleicht ist es auch wahr.

Ja, dies ist sicherlich eine sehr schwierige Situation.

Redegewandte Verkäufer lassen sich telefonisch mit der Sekretärin verbinden und versuchen diese zu ihrer Mitstreiterin, zu ihrer Verbündeten zu machen. Wenn bei diesem Gespräch die Sekretärin richtig aufgewertet, also in ihrer Funktion und Stellung bestätigt wird, könnte es gelingen, daß sie sich dafür einsetzt, daß wir dennoch in einigen Minuten empfangen werden.

Gelingt dies nicht, dann sollten wir die Sekretärin so für uns gewinnen, daß sie sich für uns bei ihrem Chef einsetzt. Entweder gibt sie uns gleich einen Termin für später oder aber wir können in einigen Tagen anrufen, um zu hören, welchen Termin sie für uns realisieren konnte.

Wenn gewünschte Gesprächspartner übermitteln lassen, daß sie nicht zu stören seien, dann müssen wir darauf schließen, daß es sich um eine Persönlichkeit mit eng gestecktem Terminkalender handelt. Wahrscheinlich steht sie in der Hierarchie des Unternehmens weit oben. Und je höhergestellt eine Person ist, desto weniger Flexibilität besteht in deren Tagesplan. Hier müssen wir schon, um diese Person in deren Stellung entsprechend anzusprechen, vorab einen Termin ausmachen. Sonst ist dies eine Selbst- und eine Kunden-Abwertung.

Problemfall 4

Gespräche nur mit vorheriger Anmeldung!

Wenn uns dies gesagt wird, dann gibt es nur noch wenig zu tun: Sich freundlich für die Information bedanken, den Empfangschef noch einige für uns interessante Dinge fragen und sich freundlich verabschieden. Tags darauf anrufen und versuchen, den Termin zu bekommen.

Wenn wir in solch einem Fall hartnäckig werden und dennoch beim Empfangschef versuchen, per Telefon den Wunschpartner zu einem Gespräch weich zu kriegen, könnte der entstehende Negativeffekt größer werden. Vielleicht bekommen wir sogar das Gespräch. Der Kunde wird sich jedoch über unsere Ignoranz seiner firmeninternen Anweisungen seine eigenen Gedanken machen.

Wahrscheinlich ist es sogar empfehlenswert, daß wir beim ersten kalten Anlauf einen relativ neutralen (wenn nicht gar leicht zu vergessenden) Eindruck machen. Dann erinnert sich schon niemand daran, daß wir gelegentlich ohne Termin zu unseren Kunden reisen.

Bei all diesen Problemen behalten wir doch das *Langfrist-Ziel* in den Augen.

Wir wollen in aller Ruhe (aber doch mit Konsequenz) neue Kunden gewinnen, die lange Jahre bei uns treu kaufen. Wir können dieses Ziel nur gefährden, wenn wir mit Hochdruck-Methoden jeden Einwand dialektisch so beantworten, daß der Kunde spürt, daß ihm das Wort im Mund herumgedreht wurde. Und natürlich steht auch eine offensichtlich penetrante Hartnäckigkeit unserem Anliegen entgegen.

Ein gute Zusammenarbeit wird sich meistens *harmonisch* ergeben. Und Harmonie entsteht nur, wenn alle Beteiligten ihre eigenen kurz- und langfristigen Interessen gewahrt sehen.

Welche Grundeinstellung sollten wir nun den Abwimmelungsversuchen unserer Kunden gegenüber haben?

7 Goldene Regeln

1. Bewahre das Langfrist-Ziel in den Augen!
2. Versuche nicht mit Hochdruck zum Gespräch zu kommen!
3. Mache Sekretärin, Stellvertreter oder Portier zu Deinem Verbündeten!
4. Lasse Dich aber auch nicht ganz banal »abspeisen«!
5. Mache aus jeder Situation das Beste! (Das Glas ist noch halb voll!)
6. Bleibe zielstrebig!
7. Öffne dem Kunden die Tür, indem Du von potentiellen Vorteilen sprichst!

4.10 Wie präsentieren wir unsere Produkte?

Vor einigen Jahren begleitete ich einen Verkaufsingenieur, der seine Kunden darin beriet, wie die Stromversorgung für Fabriken und Hotels unterbrechungsfrei sein kann. Die Technik ist kurz wie folgt zu beschreiben:

Immer dann, wenn die Stromversorgung durch das Elektrizitätswerk ausfällt, schaltet ein Relais automatisch die Stromversorgung um auf Batterie, die zwischenzeitlich geladen wurde.

Zur Vorführung der Technik diente ein Muster, bestehend aus Leuchtstoffröhre, Relais, Batterie und Stromanschluß-Stecker. Als wir zum potentiellen Kunden fuhren, meinte der Verkaufsingenieur so beiläufig: »Hoffentlich funktioniert alles. Das Simulationsmodell lag über Nacht im Kofferraum meines Autos. Und bei der Kälte im Januar weiß man dann nie. Na ja, mal sehen.«

Wir gingen zum Kunden. Dieser war von der Argumentation ganz angetan und brannte nun darauf, das alles auch in der Praxis zu sehen. Unser Modell war dann auch schon da, war aber noch eiskalt. Und wie konnte es dann bei der Vorführung auch anders sein? Der berühmte Vorführeffekt trat ein, wobei der Verkäufer zum Kunden sagt: »Tut mir leid, aber gestern war alles noch in Ordnung!«

Natürlich zeigen Kunden dafür Verständnis, aber nur nach außen. In Wirklichkeit kommen gleich Zweifel auf über die spätere Gebrauchstüchtigkeit. Wie dem auch sei, wir haben damals nicht verkauft. Der Kunde sagte später, wir seien zu teuer gewesen. Gemeint hat er vielleicht was anderes, die danebengegangene Vorführung, sagen konnte er es nicht mehr. Denn er hatte es uns ja damals verziehen.

Was sollten also die wesentlichsten Regeln für eine gekonnte Vorführung unserer Produkte sein?

Regel Nr. 1

Unsere Vorführung muß eine klare Zielsetzung haben!

Das Ergebnis der Vorführung muß sein, daß der Kunde es anschließend am liebsten gleich behalten will. Und dazu ist notwendig, daß er bei der Demonstration Spaß bekommt und ständig sein Wunsch, es zu besitzen, zunimmt.

Regel Nr. 2

Unsere Vorführung muß den Kunden aktivieren!

Wir haben alle einen Spieltrieb (Manager noch mehr, weil sie ihn ständig unterdrücken müssen!). Deswegen sollten wir den Kunden mit unserem Produkt »spielen« lassen. Spielerisch soll er erleben, wie einfach unser Produkt zu bedienen, zu handhaben, zu verbrauchen oder zu verwerten ist.

Regel Nr. 3

Unsere Vorführung muß logisch sein!

Wir brauchen einen Ablaufplan, der die Logik in der Bedienung bzw. im Gebrauch einfach und klar erkennen läßt. Denn während der Präsentation »lernt« der Kunde. Und Lernen geht nur mit System, wir müssen zuordnen können, sonst ist der erforderliche Hafteffekt zu gering.

Regel Nr. 4

Unsere Vorführung muß gut vorbereitet sein!

Der Ablaufplan muß gut durchdacht sein, vielleicht sogar schriftlich niedergelegt werden.

Aber auch die Rundum-Organisation muß stimmen. Bei Schreibmaschinen muß Papier da sein, bei Arbeitslampen für Schienen-Handwerker die groben Handschuhe am Platz, bei Ackermaschinen der vorbereitete Grund usw.

Regel Nr. 5

Unsere Vorführung muß einprägsam sein!

Deswegen müssen wichtige Passagen wiederholt werden. Deswegen muß der Kunde einen mehr-dimensionalen mnemotechnischen* Eindruck bekommen. Wir müssen das Erlebte nicht stumm wirken lassen, sondern durch unser Wort unterstützen: »Merken Sie, wie einfach der Schalter selbst mit dem dicken Handschuh zu bewegen ist?«

Regel Nr. 6

Unsere Vorführung müssen wir selbst im Schlaf beherrschen!

Wenn wir uns erst beim Kunden um unser Produkt kümmern ist es schon zu spät. Clevere Verkäufer studieren die Handhabung zu Hause ein (als Kunde muß da Eva herhalten!). Der Kunde muß während der Vorführung den Eindruck der leichten Beherrschbarkeit haben, damit er sich und seinen Leuten die Bedienung selbst zutraut.

Regel Nr. 7

Unsere Vorführung muß nachvollziehbar sein!

Immer wieder erlebt man, daß mit einem Trick oder Gag gearbeitet wird. Dieser kann sehr effektvoll sein, verunsichert jedoch den Kunden. Wenn schon ein Trick, dann sollte ihn der Kunde ohne sich eine berufliche Blöße geben zu müssen, selbst nachmachen können.

Regel Nr. 8

Unsere Vorführung muß das Kunden-Interesse in den Mittelpunkt stellen

Bei einer Kopiervorführung zeigte uns ein Verkäufer, wie man auch kleinste Papierschnipselchen kopieren kann. Auf die Anmerkung des Kunden, daß er nur A 4 zu kopieren hätte, ging dieser nicht darauf ein, sondern wiederholte seine Schnipselchen-Kopiererei.

Sicherlich wäre ein Eingehen auf den Kundenwunsch für das Ziel ergiebiger gewesen. Deswegen sollte eine Vorführung eigentlich mit

* Mnemo = Gedächtnis; Mnemotechnik = Technik des Merkens

der Frage starten: »Herr Kunde, was soll ich Ihnen alles zeigen?« Oder: »Was erwarten Sie von dem Produkt alles?«

Regel Nr. 9

Unsere Vorführung muß Blickkontakt zum Kunden erlauben!

Wenn wir nicht ständig den Kunden beobachten, können wir nicht erkennen, inwieweit er sich bereits mit unserem Produkt identifiziert oder bereits den Kauf abwägt.

Nur durch Augenkontakt, genaue Beobachtung seiner Mimik, können wir erkennen, was er denkt. Analysieren wir ihn richtig, können wir reagieren und die Vorführung entsprechend steuern.

Regel Nr. 10

Unsere Vorführung muß den Kunden in den Ja-Rhythmus bringen!

Von der Technik, den Kunden durch viele Fragen zu einer im Grunde bejahenden Haltung zu führen, haben wir schon viel gehört*. Gerade eine Vorführung bietet die Möglichkeit, unsere Verkaufstechnik nicht offensichtlich werden zu lassen. Der Kunde kümmert sich ja mehr ums Produkt, weniger ums Wort.

Von einer professionellen Vorführung hängt ganz entscheidend ab, ob der Kunde unsere Produkte kauft. Deswegen dürfen wir diese nicht dem Zufall überlassen.

Trainieren wir die Vorführung vorher bis zur Perfektion!

Oft haben wir aber kein Produkt, das wir vorführen können oder zumindest beim ersten Besuch nicht. Dann gilt es aber soviel Aufmerksamkeit auf das Produkt zu lenken, daß wir einen noch lange nachwirkenden Effekt beim Kunden haben.

Denken wir nochmals an die 6-A-Regel, das stoßkeilartige Vorgehen am Markt. Wir müssen, um uns genügend Langfrist-Wirkung zu verschaffen, *A*nders sein *A*ls *A*ndere; dadurch gewinnen wir *A*ußergewöhnliche *A*ufmerksamkeit; stehen letztlich näher am *A*uftrag*.

Verschaffen wir unserem Produkt die 6-A-Regel!

* Wenn Sie das Thema, wie man sicherer gute und hohe Verkaufsabschlüsse macht, interessiert, lesen Sie vom gleichen Autor, Erich-Norbert Detroy, »Abschlußtechniken beherrschen und gekonnt einsetzen«, verlag moderne industrie, Landsberg, 3. Auflage.

* Kapitel 2.1 »Wie wirbt man per Brief mit Vacuum-Wirkung?«

Beispiel Nr. 1

Spedition

Das Handicap eines Speditions-Akquisiteur (wie er hier oft noch heißt) ist, daß er so schrecklich wenig zu zeigen hat, und der Kunde sich auf das gesprochene Wort verlassen muß.

Bei einer großen deutschen Spedition, die im Ruf stand, etwas schwerfällig wie eine Behörde zu sein, diesen aber durch positive Leistungen abbauen wollte, gehen Verkäufer mit folgendem Gespräch zum Kunden:

Verkäufer: »Herr Kunde, gibt es runde Würfel?«
Kunde: »Nein, unmöglich, Würfel sind eckig!«
Verkäufer: »Wenn es einen solchen gäbe, dann wäre das doch eine sehr unkonventionelle Problemlösung. Ja?«
Kunde: »Das kann man wohl sagen!«
Verkäufer: (nimmt runden Würfel aus Etui und rollt ihn auf den Tisch ... mit folgenden Worten)
»Hier ist er, rund, genauso ›rund‹ wie die Zusammenarbeit mit der Vereinigten Transportgesellschaft.«

Bemerkenswert ist hier, daß die Firma auch per Brief eine ähnlich gelagerte Kampagne führte*.

Beispiel Nr. 2

Emballagen / Verpackungen

Flüssigkeiten in runden Flaschen gelagert, haben viele Probleme. Runde Flaschen kann man einerseits nur in Kästen lagern. Will man sie liegend stapeln, braucht man rechts und links des Stapels Befestigungen (Wände). Aber auch dann nehmen diese Flaschen viel Platz weg.

Deswegen kamen wir bei einer Firma, die den Kunden ihre Produkte in viereckigen Plastikflaschen schmackhaft machen wollte, auf folgende Idee.

Die Verkäufer nehmen kleine Röllchen aus massivem (und transparentem) Kunststoff (Zylinder) sowie rechteckige Würfel aus dem gleichen Material (Prismen), die jeweils den gleichen Rauminhalt haben, zum Kunden mit.

* Kapitel 2.4: Briefbeilagen, die die Antwortbereitschaft steigern.

Im Gespräch fordert man den Kunden auf, doch einmal frei auf dem Tisch 10 Zylinder übereinander zu stapeln. Der Kunde wird sagen, daß es nicht geht. Schon ist der erste Beweis geführt. Man braucht Begrenzungen.

In zwei herbeigeholten Kästchen werden nun die beiden unterschiedlichen Körper eingelagert. Und der Kunde staunt nicht schlecht, wie viel mehr Lagerraum er für die Einlagerung in runden Flaschen braucht.

Sicherlich handelt es sich hier um eine eindrucksvolle Demonstration, die sehr erfolgreich ist.

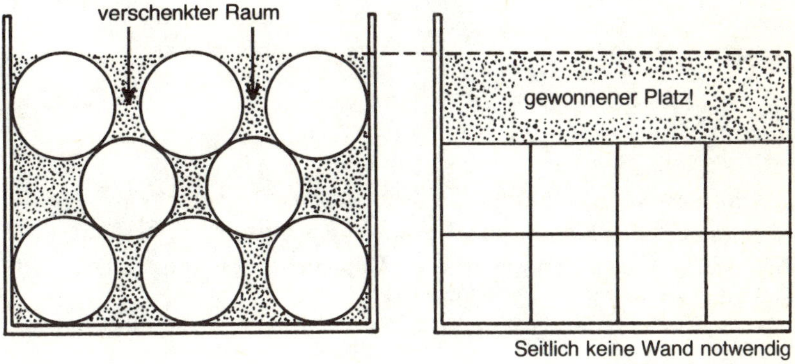

Beispiel Nr. 3

Abwasserreinigung

Chemikalien, um die es sich hier handelt, sind meist besonders schwierig vorzuführen.

Bei dem Fall einer Frankfurter Firma ging es darum, ein Abwasserreinigungs-System zur Rückgewinnung von Metallen einzuführen. Das Produkt war nicht vorzuführen, obwohl es ganz neue Aspekte noch sicherer Reinigungstechnik offenbarte. Die Lösung fand ein pfiffiger Verkaufsleiter beim Produktnamen: enViro-cell.

Das groß schreiben eines Buchstabens mitten im Wort ist sicher nicht alltäglich. Deswegen bot es sich an, dieses V gleich auch im Verkaufsgespräch zu verwerten. Immer wenn der Verkaufsingenieur den Namen enViro-cell aussprach, zeigte er gleichzeitig mit der Hand das (von Churchill bekanntgewordene) Victory-Zeichen (Victory, englisch = Sieg).

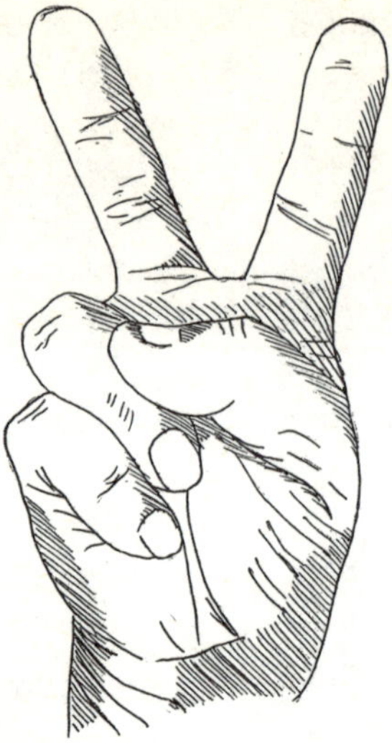

Die positive Assoziation des Kunden lag (im wahrsten Sinne des Wortes) auf der Hand, zumal das große V für enViro-cell (+ Victory) auch noch in der schriftlichen Dokumentation entsprechend hervorgehoben wurde.

Die positive Assoziation des Kunden lag (im wahrsten Sinne des Wortes) auf der Hand, zumal das große V für enViro-cell (+ Victory) auch noch in der schriftlichen Dokumentation entsprechend hervorgehoben wurde.

Beispiel Nr. 4

Baumaschinen

Weiter ist uns bekannt, daß die schwedische Baumaschinenfirma Volvo BM zumindest in einem europäischen Land ebenfalls mit dem Victory-Zeichen operiert.

Die Verkaufsingenieure heben die zum Victory-Zeichen geformte Hand hoch während sie grüßen. Und im Laufe des Verkaufsgespräches wird dann immer zum Ausdruck besonderer Leistungsstärke dieses Zeichen wiederholt.

Zum Abschied wird dann bewußt wieder dieses Zeichen gezeigt mit den Worten: »Herr Kunde, immer daran denken, Volvo!«

Beispiel Nr. 5

Etiketten

Ein Berater selbstklebender bedruckter Etiketten hatte eine besondere Idee, um verstärkt Neugierde für seine Vorschläge zu wecken.

Er zeigte zur Eröffnung seines Gespräches dem Kunden einen überdimensional großen Schlüssel in der Faust. »Herr Kunde, heute spreche ich mit Ihnen über Ihren Schlüssel des Erfolges.«

Interessanterweise kam dazu, daß dieser Mann Schlosser hieß.

Beispiel Nr. 6

Schallplatten

Die Verkäufer der Industrie haben zur Aufgabe, die Kunden (Einkäufer des Handels) von Neuerscheinungen zu begeistern. Dies fällt nicht immer leicht, zumal oft neue Titel oder Interpreten gefördert (in der Fachsprache promotet) werden sollen, die weder bekannt noch in der Hitparade plaziert sind.

Dabei kommt es darauf an, beim Kunden für die eigenen Aussagen über die Verkäuflichkeit der neuen Schallplatte Glauben zu bekommen. Denn allzu oft wurde er enttäuscht.

Wolfgang Rathje, einer der erfolgreichsten Verkäufer dieser Branche, greift hier zu einem netten Trick. Immer wenn er eine Neuerscheinung zeigen will, von deren Zukunftsaussichten er selbst besonders überzeugt ist, sagt er zum Kunden.

Verkäufer: »Fräulein Weber, und jetzt habe ich noch etwas ganz Besonderes in meinem Koffer. Eine Neuerscheinung, die so heiß ist, daß ich mir vorher dazu einen Asbest-Handschuh anziehen muß.«
Nun zieht er wie angekündigt den Asbest-Handschuh an, greift in seinen Koffer und zieht schweigend mit strahlenden Augen die so erfolgversprechende Platte heraus.

Die Wirkung ist, daß sich hier der Kunde kaum mehr dem Bann entziehen kann. Er wird sich dieser neuen Platte besonders widmen. Natürlich kann auch Rathje nicht bei jeder Neuerscheinung zu diesem Trick greifen. Er versteht, dieses Instrument selten, aber gezielt einzusetzen, denn allzu häufiger Gebrauch macht jede Waffe stumpf.

Beispiel Nr. 7

Planungssysteme

Um seine eigene Arbeit, Produktionsprozesse, den Urlaub der Mitarbeiter oder eine Marktbearbeitung zu planen, gibt es verschiedene

Systeme. Die Verkäufer eines Pin-Magnet-Wand-Plan-Systems kommen zum Kunden und beginnen die Produkt-Vorteile zu erläutern, indem sie die geöffnete Hand hochhalten und sagen: »Herr Kunde, fünf Vorteile gewinnen Sie durch unsere Plansysteme. Erstens haben Sie ständig die Planung optisch vor sich...« (dabei macht er die Hand zur Faust, streckt den Daumen nach oben und zeigt mit dem Zeigefinger der anderen Hand darauf).

So setzt sich nun das Verkaufsgespräch fort. Wenn sich der Kunde (übertrieben formuliert) nichts merken kann, eines weiß er noch: Es waren 5 Vorteile, denn die Hand vergißt er nicht.

Beispiel Nr. 8

Baumaterial / Mauerwerk

Bei der Argumentation für seine »Energie«-sparenden Mauerwerkstoffe setzt ein Verkaufsingenieur einer Firma zwei Zettel ein. Auf den ersten schreibt er das Wort »Investition« und auf den zweiten »Gewinn« drauf. Im Beratungsgespräch fragt er seinen Kunden, ob er bereit wäre, 100 Mark zu investieren, wenn er jährlich 30 Mark zurückbekäme? Das entspräche einer Verzinsung von mehr als 30 %. Mehr als jede Bank bieten kann.

Kaum ein Kunde sagt ihm, daß dies nicht lohnenswert sei. Und jetzt beginnt die Beratung für seinen Mauerwerkstoff, der tatsächlich einiges teurer ist als andere. Aber nach einer genauen Berechnung kann

man sehr genau erkennen, daß das Verhältnis 100 Mark eingesetzt, jährlich 30 Mark zurück, stimmt. Der Kunde ist überzeugt.

Beispiel Nr. 9

Bohrhämmer

Eine französische Firma, die Bohrhämmer produziert und verkauft, kam auf die Idee, als Kundenpräsent kleine Mini-Hämmer aus Kunststoff fertigen zu lassen. Der Gag kam an, die Modelle wurden auf dem Schreibtisch der Empfänger aufgestellt.

Doch erst eine weitere Verfeinerung der Ursprungs-Idee brachte den Durchbruch: Das Modell wurde in Form eines Modell-Baukastens dem Kunden überreicht. Kaum ein potentieller Kunde wird sich den Spaß nehmen lassen und sich sofort abends hinsetzen um das Modell zusammenzubasteln.

Über das Spielen entwickelt sich allmählich ein Stolz über das eigene handwerkliche Können, und so verstärkt sich der Wunsch, auch das Original zu besitzen.

Beispiel Nr. 10

Bautenchemie

Eine süddeutsche Firma kam mit einem neuen Fliesenkleber auf den Markt. Dieser hatte einige entscheidende Vorteile: Bereits nach zwei Stunden konnte man die damit geklebten Fliesen begehen, nach zwei Stunden waren die Fliesen bereits verfugbar, der Fliesenkleber war auch auf feuchtem Untergrund verarbeitbar usw.

Der kreative Marketingleiter kam auf die Idee, die ganze Vorteil-Vielfalt mit dem Joker eines Spieles zu vergleichen (der ja alles sticht) und machte daraus ein Puzzle, das dem Kunden fragend vorgelegt wird.

Verkäufer: »Herr Kunde, kennen Sie einen Fliesenkleber der nach zwei Stunden begehbar ist?«

Kunde: »Nein.«

Verkäufer: Legt das erste Teil des Puzzles auf den Tisch.
»Herr Kunde, kennen Sie einen Fliesenkleber der nach zwei Stunden verfugbar ist?«

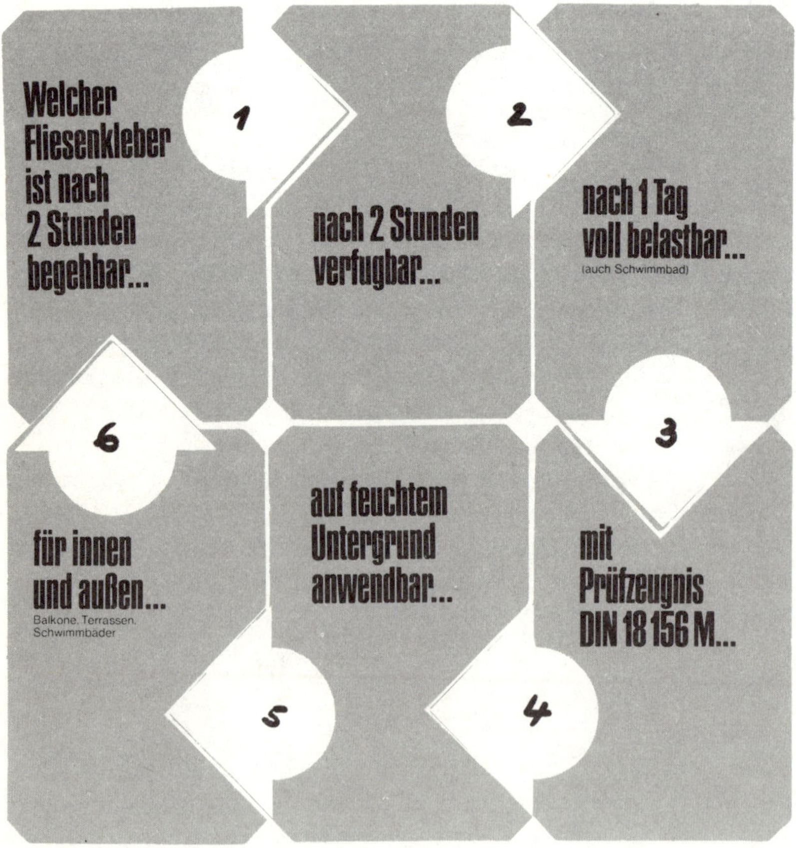

Kunde:	»Nein.«
Verkäufer:	Legt das zweite Puzzleteil daneben. Das »Spiel« geht nun solange fort, bis alle Teile gelegt sind und Spannung des Kunden kurz vor dem Platzen ist. (Hat mittlerweile handschriftlich durchnumeriert) »Herr Kunde, wenn es ein Produkt mit all diesen Vorteilen gäbe, das wäre doch schön.«
Kunde:	»Ja.«
Verkäufer:	»Würden Sie es kaufen und einsetzen?«
Kunde:	»Ja.«
Verkäufer:	Dreht jetzt das Puzzle auf die Rückseite, wobei jetzt ein Jokerblatt entsteht mit dem Produktnamen.

Zusammenfassung

Wir präsentieren wir unsere Produkte?

10 Goldene Regeln

1. Eine gute Vorführung muß die Kunden-Interessen voll berücksichtigen (nicht die eigenen)!
2. Eine perfekte Vorführung muß den Kunden aktivieren und in zustimmenden Dialog bringen!
3. Auch bei der eindruckvollsten Produkt-Demonstration dürfen wir den Blickkontakt nicht vergessen!
4. Die 6-A-Regel verschafft uns die für einen Erst-Auftrag benötigte Langfrist-Wirkung!
5. Assoziieren wir unser Produkt mit allbekannten Dingen des täglichen Lebens, vor denen der Mensch Hochachtung oder Ehrfurcht hat!
6. Schaffen wir optisch-wirkungsvolle Vergleiche!
7. Zeigen wir mehr, reden wir weniger!
8. Greifen wir zu aufmerksamkeitserregenden Hilfsmitteln der Argumentation!
9. Lassen wir den Kunden mit unseren Produkten »spielen«!
10. Haben wir etwas Mut bei der Produkt-Demonstration – denn eine »graue Maus« wird schnell vergessen!

4.11 Wie argumentieren wir bei einem Neukunden?

Heißt »argumentieren« eigentlich seine Produktvorteile in schillernden Farben begeisternd vorbringen?

Oder ist »argumentieren« etwas ganz anderes?

Sicher, ein Argument ist ein Beweisgrund oder eine Begründung. Aber was soll denn begründet werden? Daß die geschilderten Vorteile auch alle eintreten? Oder was ganz anderes?

Ein Kunde wird sich in einem Verkaufsgespräch immer eine Frage stellen:

»Was habe ich davon?«

Deswegen wird er ständig danach suchen, was er an Nutzen bekommt oder zu erwarten hat. Dies geht dann auch so lange gut, wie der Verkäufer über die Nutzen des Kunden spricht und diese erläutert.

Aber in dem Moment, wo ein Verkäufer nur noch über sich, seine Firma und seine Produkte spricht, kann es sehr schnell passieren, daß im Kunden wieder sein »schlummerndes« Mißtrauen hervorkommt. Die Haltung gegenüber dem Verkäufer, der es ja nur gut meint, ändert sich schnell. Der Kunde wird denken:

»Der will (ja nur) was von mir!«

In diese Denkweise hineinmanövriert überlegt sich der Kunde, wie er seine aufkommenden Widerstände auch begründen kann. In der Praxis bedeutet das, daß wir keine Mitarbeit des Kunden mehr haben.

Und auch die allerbeste Argumentation benötigt immer noch die positive Mitarbeit des Kunden. Denn kaputtmachen kann man jedes Argument.

Der Grundfehler Nr. 1 liegt deswegen in der überzogenen Eigendarstellung. Sicherlich verfolgen wir damit einen guten Zweck, den

Kunden von uns und unseren Produkten zu begeistern. Aber Mißtrauen kann die Ernte sein.

Sprechen wir doch unentwegt den potentiellen Nutzen des Kunden an. Beispiel:

Verkäufer: »Sie, Herr Kunde, erwarten sicherlich, daß sich die Maschine auch von angelernten Kräften leicht bedienen läßt.«
Kunde: »Ja, das stimmt.«
Verkäufer: »Sehen Sie, deswegen haben wir den Servo-Knopf an dieser Stelle bequem erreichbar ...«

Nun ist der Kunde engagiert, er denkt mit, er macht mit, er erkennt seine Vorteile selbst, er läßt sich so leichter überzeugen.

Sie werden sagen: »Aber genau so machen wir es doch!« und haben damit recht. Vielleicht ähnelt aber unsere Aussage dann folgendem Gesprächsmuster.

Verkäufer: »Herr Kunde, und dann ist die Maschine besonders leicht bedienbar durch den Servo-Knopf.«
Kunde: »Ah?!«
Verkäufer: »Weiter haben wir ...«

Vielleicht hat der Kunde gedanklich mitgemacht, aber eben nur vielleicht. Denn im zweiten Fall wurde ein Produkt erklärt, im ersten der Nutzen *direkt* angesprochen.

Beide Beispiele erklärten denselben Vorteil, aber die erste war überzeugender.

Eine der größten deutschen Kapitalgesellschaften hatte einen großen Fonds zu vermarkten. Angesprochen wurden meist potentielle Neukunden. Kurz die wesentlichen Bestandteile des Angebotes:

- Geschlossener Immobilienfonds
- Hohe Steuervorteile
- Ausschließlich gewerbliche Mieter im Objekt
- Mieter wie einer der größten Hotelgesellschaften der Welt und einer der größten Bauträger Deutschlands
- Hohe Rendite
- Hohe Sicherheit, da 5 Großbanken dahinter standen

Nachdem in der ersten Phase diese Vorteile den Kunden voller

Enthusiasmus gesagt wurden, arbeitete man in der zweiten Phase mit folgendem Verkaufsgespräch-Muster.

Fall

Der Berater ist nach telefonischer Terminvereinbarung bei einem Kunden, den er zum erstenmal sieht. Nach einigen Minuten Eingangsgespräch kommt der Berater zum Thema:

Verkäufer: »Herr Kunde, es geht um Kapitalanlagen. Damit ich Sie richtig beraten kann, vorweg eine Frage:
Welche Anforderungen stellen Sie eigentlich an eine Kapital-Anlage?«

Kunde: »Nun, das kann ich Ihnen sagen: Erstens eine hohe Rendite.«
(Verkäufer notiert auf einem Blatt Papier »1. Hohe Rendite«)
»Und zweitens Sicherheit.«
(Verkäufer notiert jetzt das Wort »Sicherheit« als 2. Punkt)
»Und dann wäre noch wichtig, daß seriöse Partner dahinter stehen.«
(auch »seriöse Partner« schreibt der Verkäufer hinter Punkt 3)

Auf dem Blatt steht jetzt

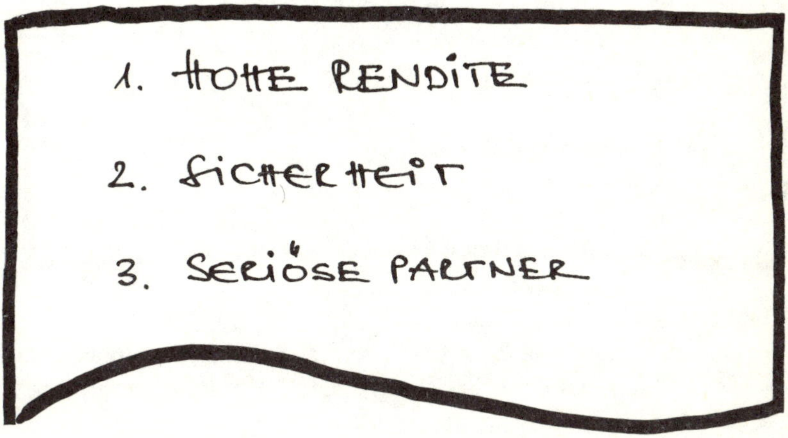

... und weil dem Berater noch zwei wesentliche Anforderungen fehlen, beginnt er diese jetzt fragend zu suggerieren.

Verkäufer: »Und wie wichtig sind für Sie sichere Steuervorteile?«
Kunde: »Ja, natürlich, darum geht es ja besonders.«
(Verkäufer notiert »4. Sichere Steuervorteile«)
Verkäufer: »Und welchen Stellenwert geben Sie der leichten Wertsteigerung?«
Kunde: »Aber sicher, bei der heutigen Inflation braucht man da fast zweistellige Raten pro Jahr.«
(Auch dieses notiert der Verkäufer)

Jetzt rahmt er alles ein, als ob er dem Kunden die wirkliche Bestätigung geben wollte und fragt den Kunden.

Verkäufer: »Herr Kunde, sind das alle Ihre Anforderungen an eine gute Kapitalanlage?«

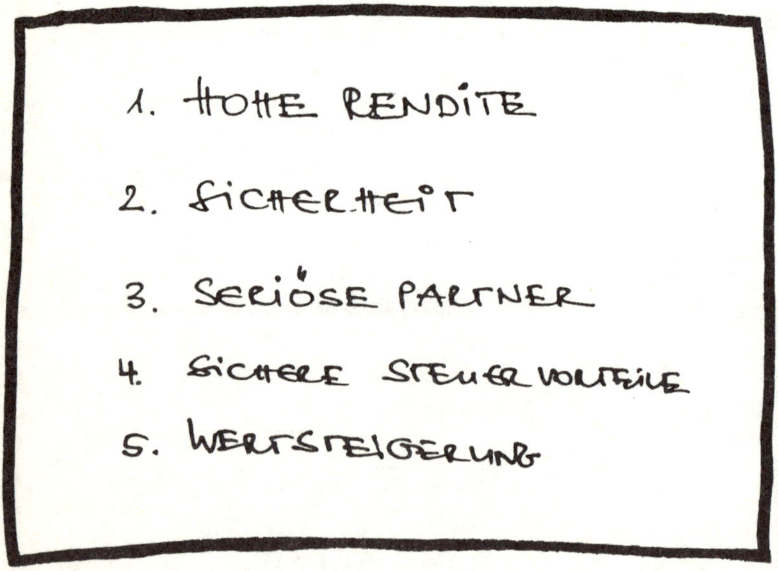

Kunde: »Ja, das sind sie.«
Verkäufer: »Herr Kunde, heißt das, daß Sie eine Beteiligung von der positiven Erfüllung dieser Anforderungen abhängig machen?«

Kunde: »Ja, so ist es!«
Verkäufer: »Wenn ich Ihnen also eine Beteiligung vorschlagen könnte, die diese Anforderungen optimal erfüllt, dann würden Sie zeichnen?«
Kunde: »Ja, dann ja.«

Der Verkäufer hat hier also alle Anforderungen des Kunden erfragt. Der Kunde fühlt sich im Mittelpunkt des Gespräches.. Denn es geht um ihn.

Durch die Frage »Wenn ich alle Anforderungen erfüllen könnte, würden Sie zeichnen?« sichert der Verkäufer im voraus seine Argumentation ab. Er fragt eigentlich ob es überhaupt Sinn hat, zu argumentieren.

Durch das »Ja« des Kunden gelingt unserem Kollegen aber etwas Großartiges. Der Kunde stimmt ihm im Prinzip bereits zu. Jetzt müssen nur noch die Beweise stimmen ... und vom Kunden akzeptiert werden.

Beobachten wir das Gespräch weiter:

Verkäufer: »Beginnen wir mit Punkt 1. Sie erwarten eine hohe Rendite. Eine Frage, würden Sie eine Rendite, die über den gegenwärtigen Festgeldzinsen von 14 % liegt als hoch bezeichnen?«
Kunde: »Das kommt darauf an.«
Verkäufer: »Nun, die Zinsen Ihres Festgeldes müssen Sie versteuern. Bleibt also bei Ihrem Steuersatz bestenfalls die Hälfte übrig. Also 7 %.«
Kunde: (Nachdenklich)
Verkäufer: »Und dann müssen wir noch mit der Inflationsquote rechnen, die momentan bei 6,5 % jährlich liegt. Bleiben also noch 0,5 % übrig.«
Kunde: (Mit hochgezogenen Augenbrauen und schief gelegtem Kopf)
Verkäufer: »Wenn wir eine Rendite hätten, die netto, also nach Steuern immer noch 11 % brächte, wäre das interessant?«
Kunde: »Ja, sicher.«
Verkäufer: (Rechnet jetzt die Rendite gemeinsam mit dem Kunden aus, wobei der Kunde den Rechner bedient. Dabei kom-

men beide auf 11,8 % Rendite)
»Herr Kunde, reichen Ihnen diese 11,8% aus?«
Kunde: »Oh ja, sicher.«
Verkäufer: »Können wir diesen Punkt abhaken?«
Kunde: »Ja, das können Sie, 11,8 % sind gut.«

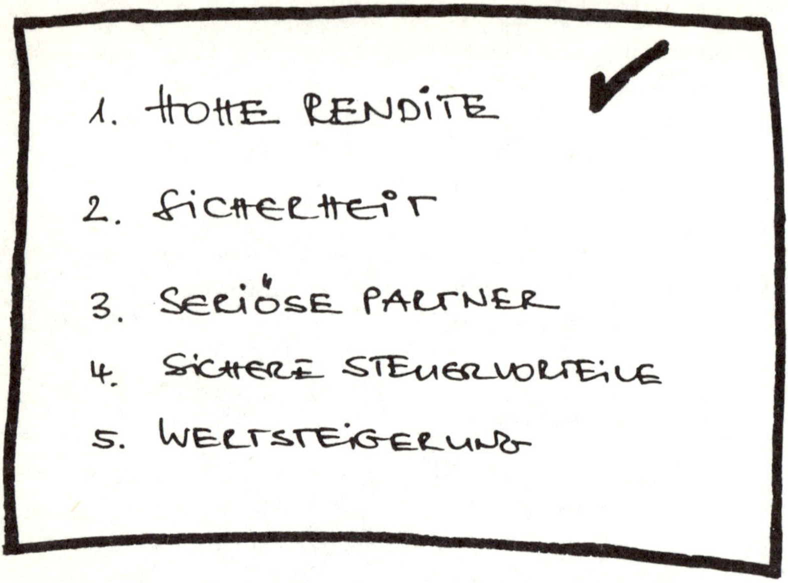

Damit wäre der erste Punkt sichtbar abgehakt. Dieses Abhaken hat einige wichtige Bedeutungen. Zum einen weiß jetzt der Kunde, daß er hier genügend Sicherheit hat, ausreichende Argumente hörte. Zum anderen kann er nur schwer wieder auf diesen Punkt zurückkommen und behaupten, da sei noch was ungeklärt.

Gibt der Kunde einen Haken nicht, dann sollten wir nicht mit dem nächsten Punkt weitermachen. Argumentieren wir doch weiter für Punkt 1. Und wenn der Kunde partout den Haken uns nicht zugestehen will, dann fragen wir ihn doch einfach was ihn davon abhält.

Haben wir aber erst die erste Zustimmung, dann dürfte es leicht fallen, die weiteren Bestätigungen zu bekommen.

In unserem erwähnten Fall dauerte es nur noch wenige Wochen, und der Fonds war plaziert, ja sogar überzeichnet.

Diese und ähnliche Produkt-Einführungen bei Neukunden haben

wir erfolgreich in der Praxis begleitet. Machen wir daraus auch für uns einige goldene Regeln.

Vielleicht bezeichnen wir es am besten mit dem großen ABC der erfolgreichen Argumentation.

Das Große ABC der erfolgreichen Argumentation*

1. Schritt	**A NALYSE**	– Erfassen der Grundanforderungen – Analyse des Bedarfs – Feststellen der Motive – Appellieren an seine Bedürfnisse – Suggerieren von Wünschen/ Motiven
2. Schritt	**B ERATUNG**	– Erklären, warum Bedürfnisse erfüllt werden – Technische Überzeugungshilfen einsetzen – Überzeugen anhand von Produkt-Vorteilen – Produkt-Eigenschaften in Kunden-Nutzen darstellen – Visuelle Hilfen einsetzen
3. Schritt	**C ONSENS**	– Schlußfolgerung – Also muß man zum Ergebnis kommen, daß . . . – suggestive Beweisführung – Kundenzustimmung einholen – Kunden in Ja-Rhythmus bringen – schrittweise Argumentation abschließen – den Kunden sicherer zum Auftrag führen

* Das ABC der Argumentation wird auch erwähnt in J. L. Wage: „Psychologie und Technik des Verkaufsgespräches", Verlag Moderne Industrie Landsberg.

Wichtig bei einer guten Produkt-Argumentation ist nicht, daß das Produkt im Mittelpunkt steht. Wie an früherer Stelle dieses Buches mehrmals erwähnt

muß der Kunde im Mittelpunkt stehen!

Sein Interesse hat Vorrang. Denn erst wenn er sich einen oder mehrere Vorteile verspricht, kann er sich für unser Produkt entscheiden.

Nun könnte man aber sagen, der Kunde kommt schon von selbst auf seinen Nutzen. Denn er ist ja auch nicht dumm. Das möchte auch niemand unterstellen.

Nehmen wir mal ein Beispiel.

Nehmen wir an, wir wären Automobil-Verkäufer. Unser zu verkaufendes Gefährt hätte einen besonders günstigen Luftwiderstandsbeiwert, etwas, was jeder Autofan sofort erklären kann.
Weil wir aber selbst noch mehr von Autos verstehen, argumentieren wir aber im »höheren« Bereich. Das hört sich so an.

Verkäufer:	»Herr Kunde, in der heutigen Zeit ist ein günstiger cw-Wert entscheidend.«
Kunde:	»Ja, bestimmt, darauf kommt es an.«
Verkäufer:	»Unsere neue S-Klasse hat einen cw-Wert von nur 0,36!«
Kunde:	»Das ist natürlich gut.«

Sind wir sicher, daß der Kunde uns wirklich verstanden hat? Hand aufs Herz, wieviel Kunden wissen was ein Luftwiderstandsbeiwert ist? Und wieviel weniger wissen gar was ein cw-Wert ist und wie man ihn definiert?

Kaum jemand, da muß man sich schon besonders damit befassen. Wie könnte also eine Argumentation verlaufen, bei der der Kunde wirklich seine Vorteile erkennen könnte?

Verkäufer:	»Herr Kunde, Sie wollen doch bestimmt Benzin sparen?«
Kunde:	»Ja.«
Verkäufer:	»Darüber hinaus wollen Sie ohne von Windgeräuschen und Seitenwind beeinträchtigt fahren?«
Kunde:	»Ja, das auch.«
Verkäufer:	»Sehen Sie, dazu ist notwendig, daß die Karosserie möglichst wenig Luftwiderstand hat. Diesen bezeichnet man als Luftwiderstandsbeiwert oder auch cw-Wert.«
Kunde:	»Aha.«
Verkäufer:	»Wenn durchschnittliche Autos einen cw-Wert von 0,45 haben, dann wäre doch 0,36 – wie es dieser Typ hat – sehr günstig?«
Kunde:	»Ja . . .«

Jetzt hat es der Kunde wirklich begriffen. Der Verkäufer hat es nicht nur einfach erklärt, sondern auch gleich die Vorteile des Kunden klar dargestellt.

Der Kunde kann mitvollziehen, arbeitet in der Argumentation mit, das heißt, er hilft mit, daß die Argumentation auch von ihm akzeptiert wird.

Zusammenfassung Abschlußorientierte Argumentation

10 Goldene Regeln

1. Stelle das *Ich* (ego) des Kunden in den Mittelpunkt!
2. Frage den Kunden nach seinen Anforderungen an dein Produkt!
3. Notiere die Kundenwünsche (= Anforderungen) sofort auf ein Blatt Papier!
4. Frage höflich-freundlich nach weiteren Anforderungen wenn noch eine wichtige fehlt!
5. Suggeriere eventuell die noch fehlende Anforderung!
6. Frage – bevor Du die Antwort gibst – ob von der befriedigenden Antwort der Kauf abhinge!
7. Beantworte jede Anforderung einzeln!
8. Frage, ob man damit die Anforderung als erfüllt bezeichnen könne!
9. Hake die Anforderung sichtbar ab!
10. Übersetze Produkt-Merkmale (= Eigenschaften) immer in Kunden-Nutzen!

4.12 Wie kommen wir zu einem Erstauftrag?

Wir müssen uns realisieren:

Wir kommen zu einem Unternehmen, das entweder beim Wettbewerb kauft oder aber unseren Produkten ähnliche noch nicht gekauft hat. Klar, im ersten Fall werden wir mit einigem Widerstand rechnen müssen, es sei denn, der Lieferant hätte gerade Lieferengpaß oder eine hohe Ausschußquote. Und im zweiten Fall ernten wir zwar Neugierde, doch mit Neugierde verkaufen wir bestenfalls das erste Gespräch, nicht unsere Produkte.

Wir müssen uns durch einige psychische Stimmungen des Kunden hindurchquälen, sie durchstehen. Er zeigt, nachdem wir ihn in seiner »sorglosen« Neutralität aufgeschreckt haben, zuerst Widerstand. Durch einige gute Ansprachen kommen wir zu Neugierde und Interesse. Aber schon kommen die Zweifel, die wir natürlich auszuräumen versuchen.

Doch auch in der Phase der absoluten Überzeugung zögern fast alle Menschen. Wir müssen jetzt dem Kunden den notwendigen Anstoß oder Impuls geben, den Auftrag auch zu erteilen.

Unter Abschlußtechnik verstehen wir deswegen nicht irgendeine Hochdrucktechnik nach dem Motto »Verkoofen und dann wegloofen«, sondern eine wirkliche Hilfe, eine Hilfe, die richtige Entscheidung zu treffen*.

Fordern wir doch den Kunden unverblümt zur Auftragserteilung auf. Er tut sich nämlich selbst schwer damit, denn es ist vielleicht eine »große« Entscheidung für ihn. Er muß sicher ein paar Tage später einem anderen redlichen Kollegen sagen, daß er »fremd« gegangen ist. Wie wird der ihn wohl ansehen, wird er denken.

Was sind die Grundfehler, die wir unbedingt vermeiden müssen?

1. Unterwürfigkeit

Sagen wir doch nicht – »Ich würde mich sehr freuen, wenn wir den Auftrag bekämen« – denn darin steckt überdeutlich, daß nur wir daran Interesse haben, ich andererseits aber nicht sicher bin, ob ich den Kunden richtig überzeugt habe.

* Wenn Sie die »Abschlußtechnik« mehr interessiert, dann sollten Sie unbedingt »Abschlußtechniken beherrschen und gekonnt einsetzen«, vom gleichen Autor, verlag moderne industrie, Landsberg, lesen.

2. Verlagerung

Auch kommt häufig vor, daß der Verkäufer im Moment möglicher Auftragserteilung sagt: »Herr Kunde, wenden Sie sich mit Ihrem Auftrag dann doch an unseren Innendienst. Die Telefonnummer steht im Prospekt.« Ja, so müssen wir wenigstens kein »Nein« hören.

3. Verzögerung

Die Angst vor dem »Nein« bringt auch folgende Blüte zu Tage: »Herr Kunde, jetzt wollen Sie sicherlich noch einige Tage sich alles gut überlegen, wenn Sie dann so weit sind, dann rufen Sie mich an. Meine Telefonnummer ist...« Warum suggerieren wir hier das »Nein«? Kein Kunde wird sagen: »Doch, doch, ich wollte den Auftrag eigentlich gleich erteilen!«

4. Offensichtlichkeit

Natürlich gehen wir mit der Absicht der Auftragserlangung zum Kunden. Das weiß auch der Kunde. Doch mit folgender Frage wird alles offensichtlich. Der Kunde wird sich sagen, daß hier das ganze Vorgespräch ja doch nur der Schaffung einer positiven Atmosphäre diente: »Herr Kunde, ich wollte jetzt mal fragen, ob wir mit dem Auftrag rechnen können.« Der Kunde merkt die Absicht (obwohl er es weiß) und ist verstimmt.

5. Zerreden

Bei einem Begleitbesuch, wo ein Kunde für einen Partnerkreis für Vermögensbildung zu gewinnen war, Monatsbeitrag DM 250,–, argumentierte der Verkäufer.

Verkäufer: »Herr Kunde, ich will Sie ja gar nicht überreden, denn die Vorteile sprechen für sich. Sie bekommen monatlich den Exklusiv-Brief und vierwöchentlich die Selekt-Info. Darüber hinaus haben Sie noch die Möglichkeit, alle 14 Tage eine Spezialauskunft abzurufen. Sie bekommen dazu fünf Gutscheine, die sie dazu berechtigen. Weiter... weiter... weiter...«

Ja, so ging es weiter, immer wieder wurde betont, daß man den Kunden »nicht überreden wolle«. Doch gerade darin lag die Crux. Der Kunde spürte immer mehr, daß man ihn überreden wollte und schlug dann auch das Angebot aus.

6. Aufdringlichkeit

Sicherlich, mit Aufdringlichkeit wurde schon mancher zum Kunden gemacht. Er konnte der rhetorischen Finesse seines Partners nicht widerstehen, die Hand, die ihn am Arm in das Geschäft hineinzog war unwiderstehlich. Der Kunde unterschrieb. Doch am nächsten Tag war auch schon die Stornierung auf dem Tisch.

Mit Aufdringlichkeit kann bestenfalls der operieren, der nur Einmal-Geschäfte machen möchte.

Wir raten deswegen ab.

Eine erste wichtige Grundregel ist, daß wir uns überlegen, wie wir dem Kunden eine positive Entscheidung leicht machen können. Dies müssen wir dann in den Abschlußvorschlag einfließen lassen. Beispiel:

Verkäufer: »Herr Kunde, wenn Sie heute noch bestellen, können Sie schon nächste Woche täglich 200 Liter Wasser einsparen.«

Hier steht der Kunden-Vorteil im Vordergrund. Der Vorschlag wird somit lustbetont.

Eine andere Möglichkeit ist, den Kunden unter zwei Alternativen entscheiden zu lassen, weil er dann sich nicht mehr fragt, ob er überhaupt will, sondern welche der beiden Alternativen ihm lieber sind.

Beispiel:

Verkäufer: »Herr Kunde, wollen Sie selbst montieren lassen oder bevorzugen Sie eine Montage durch unsere Facharbeiter?«

Bei größeren Gütern (z. B. Investitionsgütern) oder Jahresabschlüssen ist es empfehlenswert, nicht nach dem Auftrag, sondern nach den Modalitäten zu fragen. Beispiel:

Verkäufer: »Soll denn weiterhin dezentral angeliefert werden?«
Oder ...
Verkäufer: »Wann wäre denn der günstigste Montagetag, mittwochs?«

So überlegt der Kunde und arbeitet daraufhin mit. Details einer Belieferung zu entscheiden ist immer noch leichter als gleich Millionen abzuwägen. Hat der Kunde erst mehrere Details geregelt, ist eigentlich der Gesamtauftrag auch perfekt.

Eine wertvolle Hilfe leistet uns der Kunde auch, wenn wir von Anfang an versuchen, mit dem Kunden zusammenzuarbeiten. Langsam entwickelt sich das Gespräch so, als ob man längst den Auftrag vergeben hätte, jetzt wären also nur noch einzelne Maße festzulegen (oder ähnliches).

Aber eines muß man auch festhalten: Einen Auftrag ohne klare Zielsetzung (»Heute will ich 10.000 kg an Kunde Müller verkaufen!«) zu bekommen, ist schlichtweg nur möglich, wenn der Kunde sowieso will. Denn erst die formulierte, präzisierte und detailierte Zielsetzung veranlaßt uns zielstrebig zu sein. Zielstrebigkeit wird dann die notwendige Hartnäckigkeit mit sich bringen. Wir werden dann unsere Antworten auf Kundenfragen immer so geben, daß der Abschluß in Aussicht kommt.

Ein bekannter Bundespolitiker, der besonders große Erfahrungen im Ausland sammelte, wurde kürzlich befragt, worauf er seine bekannt-erfolgreichen Verhandlungen zurückführe. Seine Antwort darauf war, daß er sein »Sitzfleisch als Waffe« benutze. Mit anderen Worten: Er blieb immer sitzen wenn das Ziel noch nicht erreicht war, eine Eigenschaft, die uns Deutschen normalerweise nicht liegt. Wir hetzen von morgens früh bis abends spät. Wir haben kaum Ruhe, der Konkurrenzdruck ist zu groß. Doch die Ruhe benötigen wir für große Abschlüsse.

Bei Einkäufer-Seminaren wird geraten, der Einkäufer solle gelassen sein, die Zeit laufe für ihn. Irgendwann würde der Verkäufer sowieso unruhig und würde dann das gewünschte Zugeständnis schon machen. Kehren wir den Spieß um, bleiben wir hartnäckig. Bleiben wir ruhig sitzen. Schon mancher hat seinen Auftrag im wahrsten Sinne des Wortes »ersessen«!

In dieser Endphase eines Gespräches darf man auch nicht mehr viel reden. Zu leicht zerreden wir den Auftrag, weil wir dem Kunden weitere Angriffspunkte bieten. Machen wir am Schluß einen Vorschlag ... und schweigen wir dann! Ein Schweigen läßt sich nur durch Reden brechen. Geben wir doch dem Kunden die Chance »Ja« zu sagen. Denn mancher Auftrag wurde schon erschwiegen.

Wenn wir den Auftrag haben, bedanken sich die meisten Verkäufer. Ist das denn richtig?

Richtig vor dem Hintergrund, daß auch (und gerade) der Kunde eine ganze Reihe wichtiger Vorteile eingekauft hat? Es ist doch viel partnerschaftlicher, wenn wir uns über die kommende Zusammenarbeit freuen und dies dem Kunden auch sagen.

Sagen wir dem Kunden »Wir freuen uns, daß gerade er ›demnächst‹ diese schöne Ladeneinrichtung erhält, die sein Geschäft noch verkaufswirksamer werden läßt«. Machen wir ihm noch seinen Auftrag schmackhaft, lassen wir noch einige positive Aspekte der Zusammenarbeit abrollen. So bekommt er noch die Sicherheit, das Richtige getan zu haben.

Zusammenfassung
Wie kommen wir zum Erstauftrag?

10 Goldene Regeln

1. Arbeiten wir uns durch die psychischen Widerstände (Neutralität, Abwehr, Zweifel, Zögern) hartnäckig hindurch!
2. Nehmen wir das Ziel präzis ins Auge!
3. Seien wir nicht unterwürfig, verlangen wir nicht die Zuständigkeit, legen wir dem Kunden nicht die Verzögerung in den Mund!
4. Zeigen wir nicht, daß wir nur wegen dem Auftrag gekommen sind!
5. Zerreden wir nicht den Auftrag!
6. Machen wir einen lust-/nutzenbetonten Vorschlag!
7. Lassen wir den Kunden unter einer alternativen Kaufmöglichkeit entscheiden!
8. Fragen wir nach Details der Belieferung – nicht direkt nach dem Auftrag!
9. Üben wir uns in »gelassener Hartnäckigkeit« – bleiben wir ruhig sitzen, warten wir auf den Auftrag!
10. Freuen wir uns auf die Zusammenarbeit – sagen wir dem Kunden, was er alles davon hat!

4.13 Was tun, wenn kein Auftrag möglich ist?

Man kann nicht immer gewinnen!

Man muß auch verlieren können!

Auch bei allerbesten Verkaufsgesprächen ist nicht immer der Auftrag sichergestellt. Vielleicht war der Kollege vom Wettbewerb besser, vielleicht war aber auch wirklich der Preis entscheidend, oder aber der Kunde wollte einfach nicht wechseln.

Wie dem auch sei, der größte Grundfehler jetzt ist, dem Kunden offen seine Enttäuschung zu zeigen. Der Kunde wird kein Mitleid zeigen, denn er merkt, daß wir ja nur wegen des Auftrages und nicht seinetwegen gekommen sind.

Natürlich neigen wir im Falle einer Entscheidung für die Konkurrenz dazu, diese schlecht zu machen. Ist uns damit gedient? Ist dem Kunden geholfen?

Nein. Der Kunde wird seine Entscheidung zunächst gedanklich und später verbal rechtfertigen. Und weil wir seine Entscheidung durch die Miesmacherei angegriffen haben, wird er sich in seinem Eitelkeitsgefühl verletzt fühlen. Weil wir aber in unserer Gesellschaft emotionale Gefühle nicht zeigen dürfen, muß der Kunde eine rationale Begründung abgeben. Er wird sich gedanklich voll und ganz mit seinem Lieferanten identifizieren und dann auch von der Leistung überzeugt sein.

Wir haben somit einen potentiellen Kunden für (oft) immer verloren!

Also, seine Enttäuschung zeigen geht nicht, die Konkurrenz schlecht machen schon gar nicht. Und dem Kunden in irgendeiner Form drohen (»Sie werden damit Ihr blaues Wunder erleben!«) ist schon gänzlich ausgeschlossen.

Was wollen wir eigentlich? Wir wollen doch wiederkommen! Und dann mit offenen Armen empfangen werden!

Also bauen wir alles was wir tun auf diese Zielsetzung auf. Georg Weltzel, ein Verkaufsprofi in der Computerbranche, pflegt folgenden Abgang:

Kunde: »Also Herr Weltzel, Sie haben sich zwar sehr angestrengt, das muß man Ihnen zubilligen, aber aus preislichen Gründen mußten wir Ihrem Wettbewerber B & D den Auftrag geben.«

Verkäufer: »Herr Filipp, danke, daß Sie so offen zu mir sind. Ich muß natürlich Ihre Entscheidung respektieren, so schwer mir das fällt. Aber das gehört nun mal zum Verkaufen, man kann nicht immer gewinnen, man muß auch verlieren können.«

Kunde: »Ja, so ist das Leben.«

Verkäufer: »Herr Filipp, ich habe hier zwar einen Auftrag verloren. Aber eine Frage habe ich, ich habe doch nicht gleich einen ganzen Kunden verloren?«

Kunde: »Nein, Herr Weltzel, natürlich nicht. Ich weiß was Sie können. Deswegen freue ich mich auf Ihr Wiederkommen.«

Verkäufer: »Das heißt, wir haben bei der nächsten Vergabe auch eine echte Chance?«

Kunde: »Natürlich, Sie vertreten eine leistungsfähige Firma, das wissen wir.«

Verkäufer: »Das freut mich ...«

Der Kunde hat hier freiwillig unserem Verkäufer für die Zukunft die Tür weit geöffnet. Vielleicht trug sein schlechtes Gewissen etwas dazu bei. Wie dem auch sei, wir haben für den nächsten Auftrag wieder Chancen, bessere als zuvor.

Von einem besonders tragischen Fall berichtete uns der Vertreter für bedruckte Etiketten, Norbert Geng. Er hatte kaum seinen neuen Stuttgarter Bezirk übernommen, erlebte er bei einem seiner ersten Besuche bei einem großen Stammkunden seiner Firma ein Desaster.

Kunde: »Ah, Herr Geng, schön, daß Sie sich vorstellen. Und gut, daß Sie kommen.«

Verkäufer: (Sich freuend)

Kunde: »Ich wollte gerade Ihrer Firma schreiben, daß ich den neuen Jahresvertrag mit einer anderen Firma abgeschlossen habe.«

Verkäufer: (Fassungslos und sprachlos: »Wie bringe ich das meinem Chef bei?«)
»Wie soll ich das verstehen?«

Kunde: »So wie ich es gesagt habe!«

Verkäufer: (Noch immer sprach- und ratlos ... fängt an mit einem schwarzen Filzschreiber auf einem weißen Blatt gedan-

kenlos Striche zu ziehen ...
Plötzlich kam Geng eine Blitz-Idee ...
Was sich da entwickelte, erinnerte ihn an die Todesnachrichten in den Zeitungen [Abbildung folgende Seite]. Er stellt nun dem Kunden einige Fragen ...)
»Herr Kunde, waren Sie denn mit unserem Lieferservice unzufrieden?«

Kunde: »Nein, meist hat alles geklappt.«

Verkäufer: »Sind Sie sicher, daß Sie den gleichen Service bei der neuen Firma auch bekommen?«

Kunde: »Nein, aber das setze ich voraus!«

Verkäufer: (Notiert »1. Lieferservice?« auf dem Blatt)

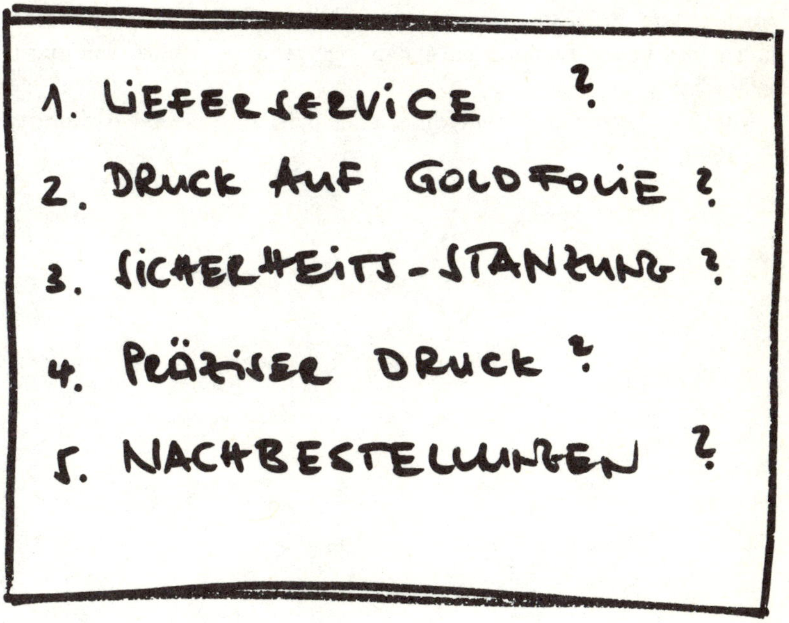

»Und dann der Druck auf Goldfolie, der hat doch immer gut gehaftet?«

Kunde: »Ja, das stimmt.«

Verkäufer: »Klappt das auch in Zukunft?«

Kunde: »Weiß ich nicht, aber das setze ich voraus!«

Verkäufer: (Notiert »2. Druck auf Goldfolie?«)
»Und dann die Sicherheits-Stanzung ...«

Und so setzt sich das Gespräch fort. Der Kunde meint immer, daß er bei dem neuen Lieferanten die bisherige Leistungsfähigkeit des alten voraussetze. Deswegen überreicht der Verkäufer am Schluß das Blatt dem Kunden mit der Bitte, dieses doch als Checkliste zu gebrauchen.

Verkäufer: »... und wenn irgendetwas nicht so klappen sollte wie Sie es wünschen, dann Herr Kunde, stehen wir Gewehr bei Fuß. Rufen Sie uns ruhig an. Wir können Ihnen dann vielleicht helfen.«

Auch hier haben wir uns die Chancen für die Zukunft nicht verbaut. Der Kunde wird keine Hemmungen haben, uns anzurufen. Durch unsere Prüfliste wird er aufmerksam sein, er wird die Lieferungen des neuen Lieferanten genau begutachten ... und, wer sucht, der findet!

Also können wir ihn vielleicht wieder bald als »neuen« Altkunden begrüßen.

Zusammenfassung
Was tun, wenn wir den Auftrag nicht bekommen?

8 Goldene Regeln

1. Zeige nicht Deine Verbitterung!
2. Greife nie die Entscheidung des Kunden an!
3. Mache den Wettbewerb, der den Auftrag bekam, nicht schlecht!
4. Drohe nie dem Kunden!
5. Sage einfach, daß wir die Kundenentscheidung akzeptieren!
6. Sage ihm, daß man wohl einen Auftrag verloren habe,
7. aber frage ihn, doch wohl nicht gleich einen ganzen Kunden!
8. Öffne die Tür für die Zukunft!

Merke:

Eine Tür ist schneller zugeschlagen als wir oft denken!

4.14 Wie macht man aus einem Neukunden einen zufriedenen Stammkunden?

»Einmal ist keinmal« sagt der Volksmund. Und so ist es leider auch oft im Verkauf. Zwar erleichtert uns der erste Auftrag die weitere Zusammenarbeit, gibt uns jedoch nicht die Sicherheit, daß der Kunde für immer treu bleibt.

Oft geht die Kompetenz des Verkäufers nach der Auftragserteilung über an Konstruktion, Versand und Montage. Der Kunde bekommt neue Gesprächspartner und erlebt unsere innerbetriebliche Meinungsvielfalt und Spannungen untereinander. Wie leicht ist es jetzt möglich, daß der Kunde von einem redlichen Monteur hört:

Monteur: »Was, einen Amplifier haben Sie da gekauft? Wer hat Ihnen denn den angedreht? Da haben wir doch heute viel fortschrittlichere Produkte.«

Und der Kunde wird enttäuscht sein vom Verkäufer, der es vielleicht sogar gut meinte. Deswegen muß bei einem Neukunden die Informations-Regie beim Verkäufer bleiben! Er bestimmt, was dem Kunden gesagt wird, was für ihn geleistet wird. Er nimmt es in die eigene Hand, den Kunden voll und ganz zufrieden zu stellen. Erfahrungsgemäß sind folgende Gespräche und Anrufe vorteilhaft.

1. Sofort nach interner Auftragsklärung rufen wir an, um den Kunden über den Auslieferungsstand zu informieren. So muß der Kunde nicht ungeduldig, unwissend und deswegen oft gleich unzufrieden warten.

2. Gleich nach der Auslieferung rufen wir an und fragen den Kunden, ob denn alles nach seiner Zufriedenheit gelaufen sei, welche Fragen er noch habe, wie man ihm weiterhelfen könne.

Diese Serviceanrufe sind von entscheidender Bedeutung. Einmal um zu hören, daß alles in Ordnung ist ... und dies den Kunden auch sagen zu lassen. Und zum anderen, um auch mögliche Reklamationen gleich am Anfang an der Wurzel packen zu können. Es ist gut, Mißstände gleich aufzudecken, nicht den Kunden erst lange schmoren zu lassen. Denn einen Kunden, der sich über seine Unzufriedenheit äußert, kann man noch zufriedenstellen. Einen, von dem wir es nicht wissen, nicht!

3. Dann wäre noch ein Kontakt notwendig, wenn der Kunde ge-

rade mit unserem Produkt arbeitet, es eine gewisse Zeit einsetzt. Jetzt gilt es, die Zufriedenheit zu erfahren. Und gleich können wir nach weiteren Entwicklungen fragen, die neue Geschäfte ermöglichen. Oder aber er nennt uns andere Firmen, an die er uns weiterempfiehlt.

Kunden wollen gehegt und gepflegt werden!

5. Kunden per Empfehlung gewinnen

Etwa 90 % aller Verkäufer verzichten auf Empfehlungen!

Warum eigentlich? Haben Sie nicht den Mut danach zu fragen? Oder kennen sie nur das Instrument »Empfehlung« noch nicht?

Bei jeder Kontaktaufnahme mit potentiellen Neukunden gibt es Widerstände, Kontaktschwellen. Wir legen uns voll ins Geschirr, um diese zu überwinden. Unsere Persönlichkeit wirkt vertrauenerweckend, unsere Visitenkarte repräsentativ, unser Brief hat uns schon »vorverkauft«.

Aber eine Empfehlung kann noch mehr:

- Sie schafft Vorschuß-Lorbeeren!
- Sie mobilisiert den Nachahmungstrieb!
- Sie erleichtert uns das Gespräch im menschlichen Bereich!
- Sie öffnet uns den Kunden schneller!
- Sie wertet uns als Gesprächspartner auf!
- Sie läßt manche Hürde gar nicht erst entstehen!
- Sie schafft die Bereitschaft, mitzuarbeiten!

Warum also verzichten wir noch immer auf Empfehlungen? Es gibt kaum einen vernünftigen Grund*!

Fragen wir also jeden zufriedenen Kunden nach Adressen, nach Firmen, nach Namen, wo er uns als Fachmann empfehlen kann. Fragen wir ihn nach Personen, denen er ein positives Zeugnis für uns geben würde.

* Höchstens einen emotionalen: Wir können aus Prestigegründen dem Kunden nicht zugestehen, daß wir weitere Kunden notwendig haben. Wir wollen ihm zeigen, daß wir alleine »gehen können«, auf ihn nicht angewiesen sind. Ist das alles richtig? Sicher nicht!

Wie fühlt sich ein Mensch, der um seine Referenz gefragt wird? Er ist stolz darauf, daß gerade er um seine Meinung gefragt wird. Deswegen wird er mit Wohlwollen sich über uns äußern.

Im Versicherungsbereich ist das Empfehlungeinholen längst gang und gäbe. Viele Organisationen bauen sogar darauf ihre Neukundengewinnung.

Verkäufer:	»So, Herr Neu, nun freue ich mich, daß Sie so gut versorgt sind.«
Kunde:	»Ja, ich bin auch froh, daß diese Risiken endlich abgesichert sind.«
Verkäufer:	»Und nun bin ich sicher, daß Sie auch zufrieden sind. Eine Bitte habe ich nun an Sie. Sicherlich wollen Sie auch mir helfen?«
Kunde:	»Wenn ich weiß wie und wenn ich kann ...«
Verkäufer:	»Sicherlich haben Sie in Ihrem Bekanntenkreis Freunde und Verwandte, denen Sie eine ähnlich gute Beratung gönnen ...?«
Kunde:	»Laß mal überlegen ... Tja, da wäre der Hans und die Frieda, bei denen sollten Sie sich auch mal melden!«
Verkäufer:	»Darf ich mich dabei auf Sie beziehen?«
Kunde:	»Ja, gern, das sind Hans und Frieda Meier, hier in der Grünstraße.«

Erfahrene Versicherungsvertreter bekommen je abgeschlossenen Kunden oder Vertrag etwa drei Adressen, wo sie sich ebenfalls um einen Auftrag kümmern können.

In einer etwas schwierigeren Branche, wo man nicht so ohne weiteres seinen Namen und den anderer preisgibt, verwendet ein Kollege eine Karte (Abbildung), von denen er eine ausreichende Zahl bei seinen Kunden läßt oder gleich beim Kunden ausfüllt. Seine Erfolge sprechen für ihn.

Ich empfehle
Herr
Frau E.-N. DETROY

ein vertrauliches Gespräch
zu führen mit

EDGAR NEUMEYER
Beratungskreis für Vermögensanlagen

Stuifenstraße 7
7321 Gammelshausen
☎ (07164) 2269

Er kann auch Ihnen einige
individuelle und vernünftige
Anlagevorschläge unterbreiten,
die für Sie von Vorteil sind.

Mit freundlichen
Grüßen

Hans Kahle

Die mitüberreichten frankierten Antwortumschläge erinnern ständig an die gewünschten Empfehlungen, geben letztlich den Impuls, einige Karten auszufüllen.

Sich zu überlegen, wie man das Empfehlungen-Geben erleichtern kann, kann sehr wirksam sein. Eine Tiefkühlkette, die Fertiggerichte direkt ins Haus liefert, schenkt dem Empfehlenden für jeden durch ihn vermittelten Kunden eine Fürst-Pückler-Eistorte.

Und von einer Frankfurter Büromaschinenfirma erhält der Empfehlende bei Vertragsabschluß eine sogenannte Tip-Provision von 1 % vom Auftragswert.

Der Hersteller von medizinisch-technischen Geräten startete im Jahre 1981 einen Wettbewerb, Motto: »Wachsender Baum«. Jeder

Verkäufer durfte sich einen Kunden aussuchen, der der erste ist, den er um Empfehlungen bittet. Aus diesen Empfehlungen heraus sind Beratungsgespräche und natürlich Abschlüsse zu machen. Nach den Beratungs- und Abschlußgesprächen fragte man diese Kunden wiederum nach Bekannten, die potentielle Kunden sein könnten. Und so weiter.

Graphisch wurde der wachsende Baum für jeden Kollegen so dargestellt:

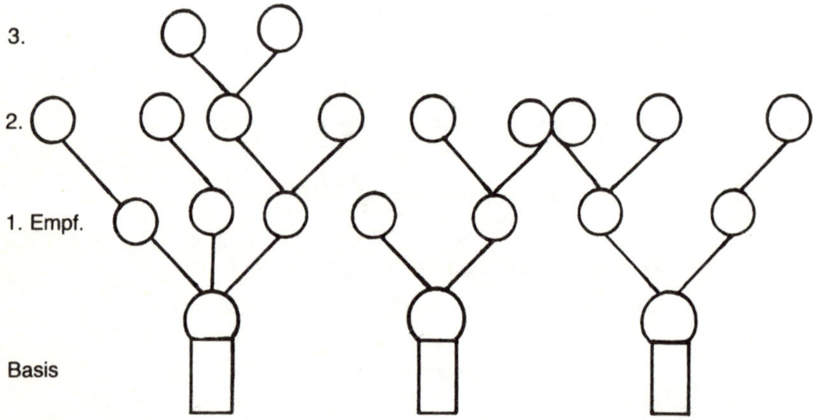

Da diese Bilder im Verkäuferbesprechungsraum hingen, bekam man wöchentlich einen neuen Anstoß für Aktivität. Der Wettbewerb machte sich bezahlt. Belohnt wurde der Verkäufer, der den größten Baum wachsen ließ. Den zweiten Preis bekam der, der den schönsten (gleichmäßigsten) Baum hatte.

Nicht jeder Kunde möchte, daß man seinen Namen erwähnt. Deswegen müssen wir fragen, ob wir ihn erwähnen dürfen. Dabei sollten wir auch gleich fragen, was er über die von ihm erwähnte Firma alles weiß:

- Adresse (Telefonnummer)
- Manager und Zuständigkeiten
- Produktionsprogramm
- Umsätze und Gewinnsituation
- potentiellen Bedarf

Selbstverständlich bedanken wir uns höflich und freundlich für den Tip. Und es wäre sehr schön, wenn wir darüber hinaus uns eines Tages für das neue Geschäft bei dem bedanken würden, der uns überhaupt auf die Idee gebracht hat.

Kleine Präsente erhalten die Freundschaft.

Zusammenfassung
Wie bekommen wir Empfehlungen?

5 Goldene Regeln

1. Fragen wir jeden Kunden nach ihm bekannten Geschäftsfreunden!
2. Fragen wir, ob wir uns auf ihn beziehen dürfen!
3. Machen wir dem Kunden das Empfehlen leicht!
4. Bedanken wir uns für den Tip!
5. Zeigen wir uns im Auftragsfalle bei ihm erkenntlich!

6. Schlußkapitel

Sicherlich gibt dieses neue Fachbuch einen großen Einblick über die Möglichkeiten, *neue* Kunden zu gewinnen. Aber es können bei weitem nicht alle sein. Wir haben bewußt auf die Möglichkeit verzichtet, über Anzeigenwerbung zu sprechen. Dies hätte ein weiteres Buch gefüllt. Zudem gibt es darüber genügend Fachliteratur. Das gleiche gilt für die Werbung auf Messen.

Eine Empfehlung jedoch am Schluß:

Über unseren Erfolg bei der Neukunden-Gewinnung entscheidet aber auch ganz entscheidend unsere Kreativität. Lassen wir uns immer wieder neue Ideen einfallen, gehen wir neue Wege, suchen wir bewußt das Unkonventionelle. Das Übliche ist oft zu blaß und deswegen gelegentlich wirkungslos.

Denken wir dabei an die 6-A-Regel. Eine Baumaschinenfirma kam dabei auf die Idee mit »halben Geschenk«. Sie verschickt ihren potentiellen Kunden *einen* Manschettenknopf mit dem Hinweis: »Auf der Messe bekommen Sie den zweiten.«

Bei einer Gabelstaplerfirma kam man auf die Idee, die Fahrer der Kunden einzuspannen. Bei den daraufhin veranstalteten »Fahrerabenden« wird gezielt um Empfehlungen geworben. Jeder Abschluß anschließend bringt dem Tip-Geber einen gefüllten Einkaufskorb im Wert von 250 Mark. Da lohnt es sich Gedanken zu machen.

Auf der Hannover Messe beobachten wir immer wieder Firmen, die den wartenden Interessenten Computer-Berechnungen für deren eigenen Bedarf machen.

Eine Elektromaschinenfirma verschenkt auf der Messe Service-Scheckhefte. Mit diesen Schecks kann man aber erst etwas anfangen, wenn man eine Elektromaschine gekauft hat.

Wir sahen vor kurzem als Beilage eines kleinen Päckchens ein

Blumentöpfchen mit Blumenzwiebeln. Die beiliegenden Zeilen forderten auf zum Einpflanzen und »Gedeihen lassen wie unsere zukünftige Zusammenarbeit«. Der Erfolg war groß.

Der Kreativität sind keine Grenzen gesetzt. Es zieht, was außergewöhnlich ist. Unsere Zeit fordert gerade danach, weil sie so reizüberflutet ist.

Und nun, machen wir uns an die Arbeit! Nehmen wir am besten ein Blatt Papier, notieren wir darauf, welche Ideen wir alle in der Praxis verwirklichen wollen, setzen wir uns ein Zeit-Ziel, bereiten wir uns gut vor und »packen wir's an«.

Viel Erfolg,
Ihr
Erich-Norbert Detroy
DETROY CONSULTANTS INTERNATIONAL
Beilstein/Heilbronn

Stichwortverzeichnis